필수 신경해부학

Brain and Spinal Cord

저자 **반유창**

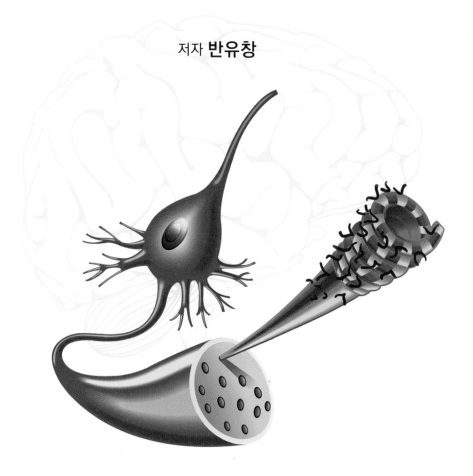

Essential
Neuroanatomy

| 저자

반유창

신경외과전문의
(현) 서울나은병원 뇌척추센터 원장
(현) 메디프리뷰 신경해부학 강사

필수 신경해부학
(Essential Neuroanatomy)

초 판 인쇄 | 2019년 6월 24일
초 판 발행 | 2019년 7월 5일

저   자   반유창
발 행 인   장주연
출 판 기 획   김도성
책 임 편 집   배혜주
표지디자인   김재욱
편집디자인   주은미
일 러 스 트   유시연
발 행 처   군자출판사
　　　　　등록 제4-139호(1991.6.24)
　　　　　(10881) **파주출판단지** 경기도 파주시 회동길 338(서패동 474-1)
　　　　　Tel. (031)943-1888   Fax. (031)955-9545
　　　　　홈페이지 | www.koonja.co.kr

ISBN 979-11-5955-453-7
정가 25,000원

필수 신경해부학

Brain and Spinal Cord

Essential
Neuroanatomy

서문

독자 여러분, 안녕하세요.

지금 이 책을 펼친 대다수의 독자는 의대생이거나 수련의, 전공의일 거라 생각됩니다.

<필수 신경해부학>에 기술되어진 신경해부학 지식은 대부분 본과 초반에 공부했던 내용들일 겁니다. 본과 과정에서 시험을 준비하거나 공부하면서 난관에 부딪혀 포기하는 분들도 있을 것이고, 시험은 넘겼으나 무슨 내용인지 완벽히 알지 못한 채 졸업하여 임상과정을 밟게 되는 분들도 있을 것입니다.

물론 의대생 시절부터 인턴, 전공의 과정을 거치는 동안 보고 듣는 방대한 의학지식들을 모두 기억하기란 쉽지 않은 일입니다. 그러나 수차례 반복되거나, 실제 임상에서 사용해 본 일부 지식은 기억에 또렷이 남기도 합니다. 의대생이 의대공부를 잘하는 방법도 바로 요점을 반복하여 암기하는 것입니다. 그러기 위해서는 우선 요점이 무엇인지 파악하는 것이 중요합니다. 요점은 과목의 학습목표에서 언급되는 내용들로 시험에서 자주 출제되는 부분입니다. 이 요점을 가능한 한 자신만의 방식으로 완전히 암기해내는 것이 의대공부의 핵심입니다.

따라서 본 책은 의대과정 시험에서 빈출도가 높은 문제부터 전공의 과정에 필요한 기본 지식, 미국의사자격 시험(USMLE)에서 자주 나오는 문제들을 요점 위주로 간추려 집필한 참고서이자 요약서입니다. 의대과정에서 신경해부학 과목이 어려워 포기하고 싶으신 분들, 전공의 과정에서 신경해부학 지식의 리마인드가 필요한 분들, 그리고 미국의사고시를 준비하시는 분 모두에게 길잡이가 될 수 있기를 희망합니다.

2019년 6월

저자 **반유창**

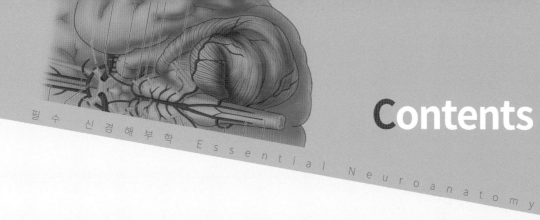

Contents

신경해부학 공부요령

신경해부학시험에 자주 다루어지는 문제는 spinal cord (척수), brain stem (뇌간), cranial nerve (뇌신경) 부분에서 특히 많이 나옵니다.

1 Spinal cord

❶ ascending spinal tract의 경로
❷ descending spinal tract의 경로
❸ spinal reflex의 전달경로
❹ 여러 형태의 spinal cord injury시 손상되는 spinal tract의 차이
❺ spinal tract와 함께 nerve fiber 및 cutaneous nerve receptor의 종류와 그 차이

2 Brain stem

12가지 cranial nerve (뇌신경)이 시작하는 cranial nuclei (뇌신경핵)과 spinal cord (척수)에서 올라오는 spinal tract (신경전달로), 뇌신경핵간 연결 신경다발 등이 위치하는 조직입니다.

❶ 각 cranial nuclei (뇌신경핵)의 위치
❷ 각 뇌신경핵에서 시작하거나 각 뇌신경핵을 지나가는 spinal tract (신경전달로)
❸ brain stem injury (뇌간부위 손상)의 형태에 따라 발현되는 증상의 차이

3 Cranial nerve

❶ 12가지 cranial nuclei (뇌신경핵)의 기능에 따라 general/special, somatic/visceral, afferent/efferent으로 분류하여 GSA, SSA, GVE, GVA, SVA 등에 해당하는 것이 각각 무엇인지

❷ optic nerve (시신경)와 관련된 visual pathway (시각신경로) 암기

❸ visual pathway경로의 부위별 손상에 따른 시야 장애의 양상

❹ oculomotor nuclei (동안신경) 및 trochlear nuclei (활차신경), abducent nuclei (외향신경)와 관련해서는 eyeball movement (안구운동)와 관련 extraocular muscle (안구운동근육)의 작용

❺ pupillary reflex pathway (동공반사경로)

❻ gaze conjugation (주시 결합) 관련한 pathway

❼ trigeminal nuclei (삼차신경)와 관련된 pathway

❽ facial nuclei (안면신경)와 관련된 pathway 및 안면마비의 종류(central 및 peripheral type)에 따라 증상의 차이

❾ vestibulocochlear nuclei (전정달팽이신경)와 관련된 auditory pathway (청각신경로)

❿ vestibular function (전정신경)과 관련한 reflex 역시 pathway를 외워야 합니다.

나머지 부분에서는 본 책에서 다루는 사항들 정도만이라도 숙지한다면 학교시험 대비나 신경해부학 과목의 간단한 리마인드를 위해 충분한 지식을 습득하시리라 봅니다.

Neuroanatomy introduction

1 **nervous system** (central + peripheral nervous system)
          (CNS)   (PNS)

1) central nervous system (brain + spinal cord)

① brain (cerebrum + brain stem + cerebellum)

ㄱ) cerebrum (2 hemispheres, 6 lobes)

cerebral hemisphere: gray matter + white

matter + basal ganglia

gyrus vs. sulci

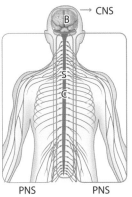

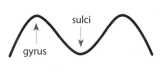

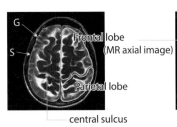

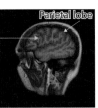

a. frontal lobe

: anterior to central sulcus. Primary motor area. Broca area

b. temporal lobe

: inferior to lateral sulcus. Primary auditory center

(귀는 옆(측두부)에 달려 있다. 청각 중추도 측두엽에 있다.)

c. parietal lobe

: posterior to central sulcus. Primary somesthetic area.

d. occipital lobe

　: inferior to parieto-occipital sulcus. Primary visual cortex

　(눈은 앞에 있으나 시각중추는 후두엽(뒤)에 있다.) 사람이 자꾸 뒤를 돌아보

　며 후회하는 까닭이 이 때문일지도

e. insular lobe

　: invaginated cortex

f. limbic lobe

　: synthetic lobe. 구성(subcallosal gyrus, cingulate gyrus, parahippocampal

　gyrus, hippocampal formation, dentate gyrus)

ㄴ) brain stem (3부분으로 이루어짐)

a. midbrain

b. pons

c. medulla

ㄷ) cerebellum (vermis, 2 hemispheres)

A Lateral side

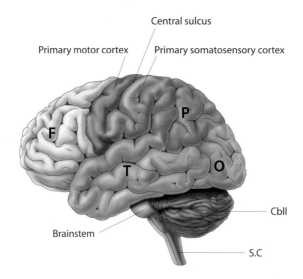

Central sulcus

Primary motor cortex   Primary somatosensory cortex

P

F

T   O

Brainstem

Cbll

S.C

F: frontal lobe
T: temporal lobe
P: parietal lobe
O: occipital lobe
Cbll: cerebellum
S.C: spinal cord

B Medial side

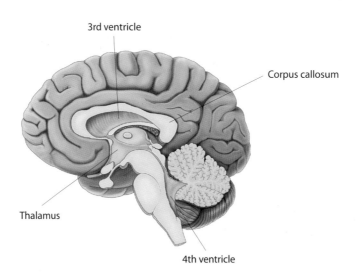

3rd ventricle

Corpus callosum

Thalamus

4th ventricle

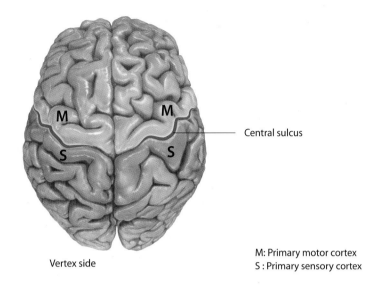

Central sulcus

Vertex side

M: Primary motor cortex
S : Primary sensory cortex

② spinal cord (3 major segments)

ㄱ) cervical segment

ㄴ) thoracic segment

ㄷ) lumbar segment

2) peripheral nervous system

① motor nerve

② sensory nerve

신경발생학
Neuroembryology

---

1 **CNS의 발달: 발생과정 중 초기 3주째부터 시작**

1) **neural plate** 형성으로부터 시작
 - by **Ectoderm** 세포의 증식 ★

2) **neural tube**를 형성 ★
 ① neural plate 중 양쪽에서 주변부가 융기
 ② neural groove를 형성
 ③ groove의 양쪽 끝이 막혀서 tube 형성

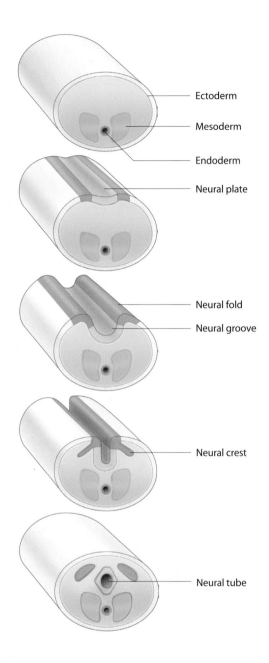

- Ectoderm
- Mesoderm
- Endoderm
- Neural plate
- Neural fold
- Neural groove
- Neural crest
- Neural tube

3) anterior neuropore와 posterior neuropore의 closure

   ① neural tube는 각각 전후의 opening를 통해 일시적으로 amniotic cavity와 통함

   ② 그후 anterior neuropore ⇨ posterior neuropore 순서로 closure

4) **3 brain vesicle 형성 ★**

　① forebrain vesicle, midbrain vesicle, hindbrain vesicle

　② prosencephalon, mesencephalon, rhombencephalon을 형성

5) 이후 **telencephalon, diencephalon, mesencephalon, metencephalon, myelencephalon으로 나누어짐 ★**

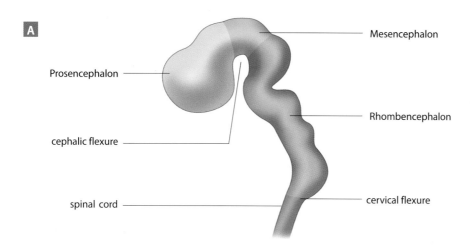

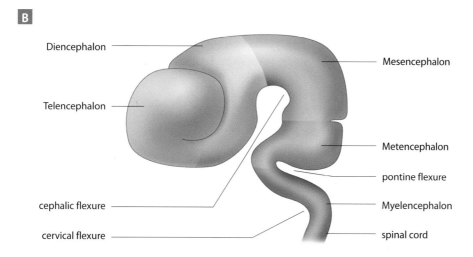

3 primary vesicles		5 secondary vesicles (5 basic subdivisions)	Derivatives
Forebrain	Prosencephalon	**Tel**encephalon (Lateral ventricle)	Striatum, internal capsule, cerebral cortex
		Diencephalon (Third ventricle)	Thalamus
Midbrain	Mesencephalon	**M**esencephalon (Cerebral aqueduct)	Midbrain
Hindbrain	Rhombencephalon	**Met**encephalon (Fourth ventricle)	Pons, cerebellum
		Myelencephalon	Medulla, spinal cord

"Tel **Di**ego, **M**essenger **Met My** brain"

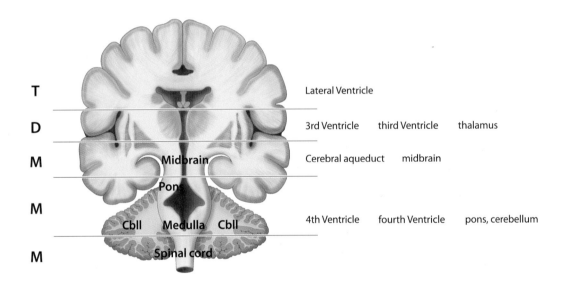

6) Ventricular system 형성

① lateral ventricle: 측부로 expanding 하는 cerebral hemisphere (telencephalon)의 cavity

② third ventricle: diencephalon의 가운데 형성된 vertical cleft

③ cerebral aqueduct: mesencephalon (midbrain)의 narrow lumen

④ fourth ventricle: rhombencephalon의 underlying cavity

2 PNS의 발달: from neural crest

1) 주로 PNS의 all sensory cell 등으로 분화

3 Spinal cord의 발달

1) anterior thickening과 posterior thickening을 형성: from neural tube의 mantle layer

  ① **sulcus limitans**: 두부분의 경계. motor와 sensory nucleus를 나누는 중요한 landmark ★

2) Anterior thickening: basal plate을 형성. anterior gray horn(motor)으로 발달

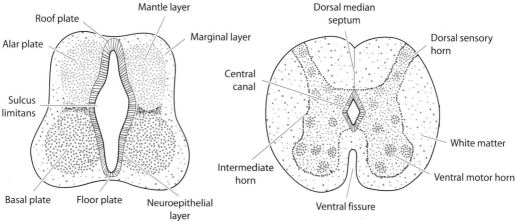

3) Posterior thickening: alar plate을 형성. posterior gray horn(sensory)으로 발달

4) Spinal cord와 vertebral canal의 관계:

  ① 배아기 3개월까지는 길이가 동일함

  ② 출생시 cord의 caudal end(conus medullaris)가 L3 vertebral level에 위치

③ 성인에서는 conus medullaris가 L1, L2 vertebrae 사이에 위치 ★

4 ▶ 신경계의 발달과정 이상으로 인한 선천성 기형 ★

1) 신경계 발달과정에 따른 분류

(같은 발달과정 중에 생길 수 있는 기형이 어느 것인지 알아야 함.

특히 holotelencephaly, procencephaly 각각 다른 과정임★)

① neurulation: neural tube 형성 시기

관련기형: anencephaly, encephalocele, encephalomyelocele, myelo-cele, meningomyelocele

② diverticulation: 신경관 형성 후 분할과정

관련기형: holotelencephaly

③ mantle formation: 신경세포가 germinal layer로부터 증식(prolifera-tion), 이주(migration), 분화(differentiation)의 세 단계를 거쳐 층을 이루는 것

관련기형: agyria, pachygyria, polymicrogyria, procencephaly, agene-sis of corpus callosum

2) Arnold−chiari malformation vs. Dandy walker malformation ★

① Arnold−chiari malformation: cerebellum의 tonsil이 elongation & her-niation. foramen magnum을 통해 tonsil이 나와 있음(나와 있는 tonsil 모습이 거꾸로 뒤집어 놓은 A자 같음)

② Dandy-walker malformation: 뇌실의 발달문제로 제4뇌실이 확장.
소뇌의 vermis가 미형성(확장된 제4뇌실을 보면 D자 같음)

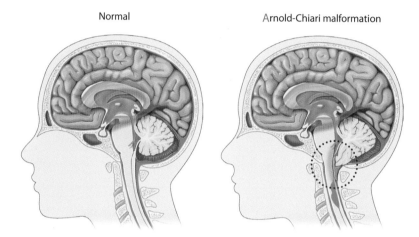

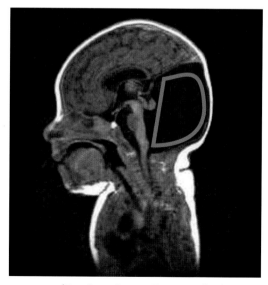

〈Dandy walker malformation〉

02

신경조직학
Neurohistology

---

1 신경계의 세포

1) neuron

　① Pseudounipolar neurons

　② Bipolar neurons

　③ Multipolar neurons

2) nonneuronal cells (glial cells)

　① macroglia:

　　ㄱ) **astrocytes** ★ 기능

　　　a. envelope basement membrane of capillaries, neurons, and synapses

　　　b. metabolism of neurotransmitters (GABA, serotonin, glutamate)

　　　c. form glial scars in damaged areas of the brain

ㄴ) oligodendrocytes

② microglia: phagocytes of the CNS

③ ependymal cells: Produce cerebrospinal fluid

④ schwann cells

★	CNS	PNS
Myelin forming cell	Oligodendrocyte	Schwann cell

※ 신경계를 감싸주는 COPS(경찰)

03

필수 신경해부학 (Essential Neuroanatomy)

신경계 혈관분포
Blood supply of the nervous system

중추신경계의 혈관공급은 척수 부분과 뇌 부분으로 나누어 생각해야 함.

1 spinal cord (척수)의 blood supply

1) posterior spinal artery (**posterior 1/3 of spinal cord**)

2) anterior spinal artery (**anterior 2/3 of spinal cord**) ★

3) multiple radicular arteries

   ① **left side dominance (thoracolumbar region)** ★

   ② equal distribution (cervical region)

   ③ anterior radicular arteries: anterior spinal artery와 anastomosis.

   ④ **artery of Adamkiewicz**: lumbar region에 위치한 anterior radicular artery ★

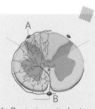

A: Posterior spinal artery
B: Anterior spinal artery

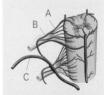

A: Posterior radicular artery
B: Anterior radicular artery
C: Segmental spinal artery

2 brain (뇌)의 blood supply

Anterior circulation과 posterior circulation으로 이루어짐.

Internal carotid artery (ant. Circulation)

vertebral artery (post. Circulation)으로부터 혈류 공급

1) **internal carotid artery**: through carotid canal. from CCA ★ 4parts

   ① **cervical**

   ② **intrapetrosal**

   ③ **intracavernous**

   ④ **cerebral portion**

      ㄱ) ophthalmic artery

      ㄴ) PCoMA (posterior communicating artery)

      ㄷ) AchA (anterior choroidal artery)

A, B
Anterior circulation
(from internal carotid
artery)

C, D
Posterior circulation
(from vertebral artery)

List of structures:

1. Anterior cerebral artery
2. Anterior choroidal artery
3. Anterior inferior cerebellar artery
4. Basilar artery
5. Calcarine artery (of posterior cerebral artery)
6. Callosomarginal artery (of anterior cerebral artery)
7. Callosomarginal artery and pericallosal arteries
   (of anterior cerebral artery)
8. Internal carotid artery
9. Lateral striate arteries (of middle cerebral artery)
10. Middle cerebral artery
11. Ophthalmic artery
12. Pericallosal artery (of anterior cerebral artery)
13. Posterior cerebral artery
14. Posterior choroidal arteries
    (of posterior cerebral artery)
15. Posterior communicating artery
16. Posterior inferior cerebellar artery
17. Superior cerebellar artery
18. Vertebral artery

Cf. **ECA branch** ★

    ① ascending <u>pharyngeal</u> artery

    ② thyrocervical artery, <u>lingual artery</u>

    ③ <u>facial artery</u>

    ④ <u>posterior auricular artery</u>

    ⑤ <u>internal maxillary artery</u>

    ⑥ <u>occipital artery</u>

    ⑦ <u>superficial temporal artery</u>

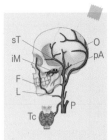

P: ascending pharyn-
geal a.

Tc: thyrocervical a.

L: lingual a.

F: facial a.

pA: posterior auricular a.

iM: internal maxillary a.

sT: superficial tem-
poral a.

O: occipital a.

2) **vertebral artery**: through foramen magnum

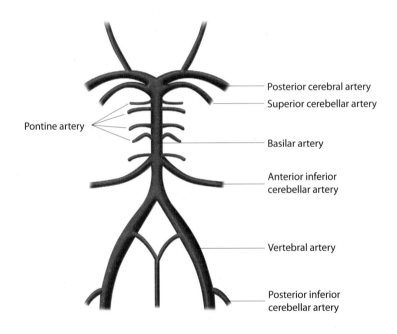

    ① branch

        ㄱ) anterior spinal artery

        ㄴ) posterior inferior cerebellar artery

    ② conjoined to Basilar artery

③ **basilar artery**

ㄱ) Pontine artery

ㄴ) Labyrinthine artery

ㄷ) Anterior inferior cerebellar artery

ㄹ) Superior cerebellar artery

ㅁ) Posterior cerebral artery

3) **Circle of Willis를 이루는 동맥 ★**

① **ACoM** (anterior communicating artery)

② **PCoM** (posterior communicating artery)

③ **proximal portion of ACA** (anterior cerebral artery)

④ **proximal portion of MCA** (middle cerebral artery)

⑤ **proximal portion of PCA** (posterior cerebral artery)

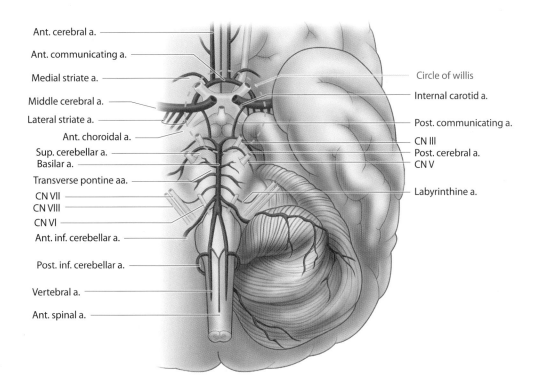

4) Anterior cerebral artery

① optic chiasm 외측에서 ICA의 bifurcation으로 기시

② ACoM을 통해 반대측과 연결

③ branch

ㄱ) **Medial striate artery** (recurrent artery of Heubner)

ㄴ) Orbital branch

ㄷ) Frontopolar artery

ㄹ) Callosomarginal artery

ㅁ) Pericallosal artery

5) Middle cerebral artery

① ICA의 연장선상에 있는 혈관

② supply area

ㄱ) Internal capsule & basal ganglia 일부

ㄴ) frontal, parietal lobe의 medial surface 및 high convexity

ㄷ) motor, premotor area, somesthetic area, auditory cortex

ㄹ) cortical association area (supramarginal gyrus, angular gyrus)

③ branch

ㄱ) **Lateral striate artery**

ㄴ) Anterior temporal artery

ㄷ) Orbitofrontal artery

ㄹ) preRolandic and Rolandic branch

ㅁ) anterior and posterior parietal branch

ㅂ) posterior temporal branch

6) Posterior cerebral artery

① basilar artery가 bifurcation된 혈관

② supply area

ㄱ) inferior temporal gyrus의 lateral surface, occipital lobe, superior parietal lobule

ㄴ) brain stem, thalamus 및 choroid plexus

③ branch

ㄱ) Posterior temporal artery

ㄴ) Internal occipital artery

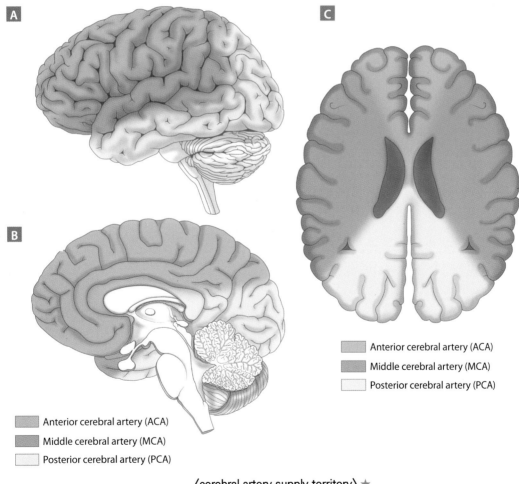

Anterior cerebral artery (ACA)
Middle cerebral artery (MCA)
Posterior cerebral artery (PCA)

Anterior cerebral artery (ACA)
Middle cerebral artery (MCA)
Posterior cerebral artery (PCA)

〈cerebral artery supply territory〉 ★

04

뇌척수액과 뇌척수액 통로
CSF and CSF pathway

1 ▶ cerebrospinal fluid (뇌척수액)

1) clear colorless fluid

2) **function** ★

  ① support the central nervous system. protect the CNS

  ② remove metabolic waste products through absorption

  ③ transport hormones and hormone−releasing factors

3) production vs. resorption

  ① production

    ㄱ) by choroid plexus (70%)

    ㄴ) **daily 400ml** ★

  ② resorption

    ㄱ) through arachnoid villi of subarachnoid space

ㄴ) dural sinus

4) total volume: 140ml ★

5) pathway ★

① **Choroid plexus lateral ventricles**

② through **Foramen of Monro**

③ **Third ventricle**

④ through **Cerebral aqueduct**

⑤ **Fourth ventricle**

⑥ through **Foramen of Magendie, Foramen of Luschka**

⑦ **Cisterna magna, cerebellopontine cistern**

⑧ **Subarachnoid space**

⑨ **Arachnoid villi of superior sagittal sinus**

Ventricular system 그림을 보면서 뇌척수액의 흐름을 한번 써 봅시다!!

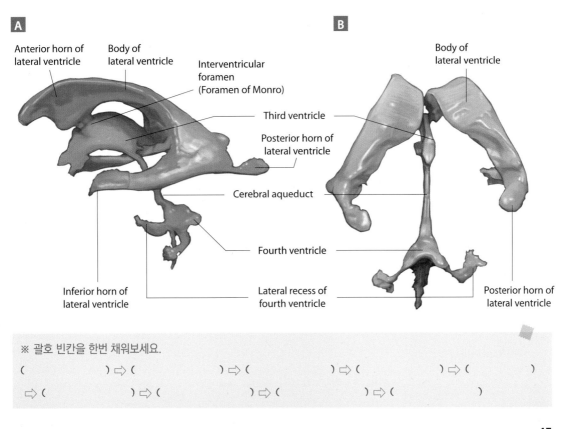

A

Anterior horn of lateral ventricle

Body of lateral ventricle

Interventricular foramen (Foramen of Monro)

Third ventricle

Posterior horn of lateral ventricle

Cerebral aqueduct

Fourth ventricle

Inferior horn of lateral ventricle

Lateral recess of fourth ventricle

B

Body of lateral ventricle

Posterior horn of lateral ventricle

※ 괄호 빈칸을 한번 채워보세요.

(   ) ⇨ (   ) ⇨ (   ) ⇨ (   ) ⇨ (   )

⇨ (   ) ⇨ (   ) ⇨ (   ) ⇨ (   )

말초 신경섬유

Peripheral nerve fibers
– afferent fibers, efferent fibers, and spinal reflex

1 sensory receptor

1) 구조적 분류

　① free nerve ending

　② diffuse ending

　③ encapsulated ending (corpuscle)

2) 기능적 분류

　① **Painful stimuli & temperature**관련 감각

　　: **free** or diffuse **nerve ending**

　　춥고 아픈게 두려운 (afraid of)

　② **Touch** sense

: **Meissner's corpuscle**

만(**M**)지는 것을 느끼고

③ **Pressure** sense

: **Pacinian** corpuscle이 담당

빡센(**P**) 압력을 느끼는

④ **Proprioceptive sense** (position 또는 movement)

: Pacinian corpuscle 및 **muscle spindle** or **golgi tendon organ**의

receptor가 담당

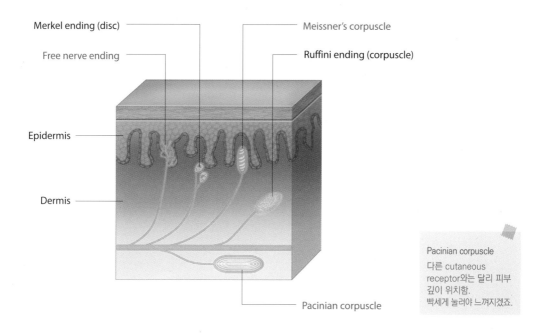

Merkel ending (disc)

Free nerve ending

Epidermis

Dermis

Meissner's corpuscle

Ruffini ending (corpuscle)

Pacinian corpuscle

Pacinian corpuscle
다른 cutaneous
receptor와는 달리 피부
깊이 위치함.
빡세게 눌러야 느껴지겠죠.

※ 그림을 그릴 수 있어야 합니다.

– Free nerve ending의 위치의, Meissner's corpuscle의 위치 Pacinian corpuscle의 위치를 epidermis, dermis 구분하여 표시하여
그려보세요.

2 afferent nerve fibers

1) Posterior column medial lemniscus pathway ★

    ① Proprioceptive sense, touch sense, pressure sense

    ② Pathway

        ㄱ) dorsal root fiber / synapse at dorsal root ganglion / posterior horn의 내측

        ㄴ) f. gracilis와 f. cuneatus (ipsilateral posterior white column)

        ㄷ) nucleus gracilis와 nucleus cuneatus at medulla level

        ㄹ) internal arcuate fiber midline cross / medial lemniscus

        ㅁ) contralateral VPL thalamic nucleus

        ㅂ) thalamocortical fiber

        ㅅ) posterior limb of internal capsule

        ㅇ) sensory cerebral cortex

Cf. F. gracilis and F. cuneatus

    ① Fasciculus gracilis

        : 하지로부터의 고유감각을 전달

    ② Fasciculus cuneatus

        : Upper thoracic(T6) 및 cervical dorsal root (상지)로부터의 고유감각을 전달

spinal cord로 들어온 후 medulla까지 올라가다가 midline cross

G :
아래쪽 하지에서 올라오는 신경신호
(먼저 들어 왔으니 medial side)

C :
위쪽 상지에서 올라오는 신경신호
(나중에 들어 왔으니 lateral side)

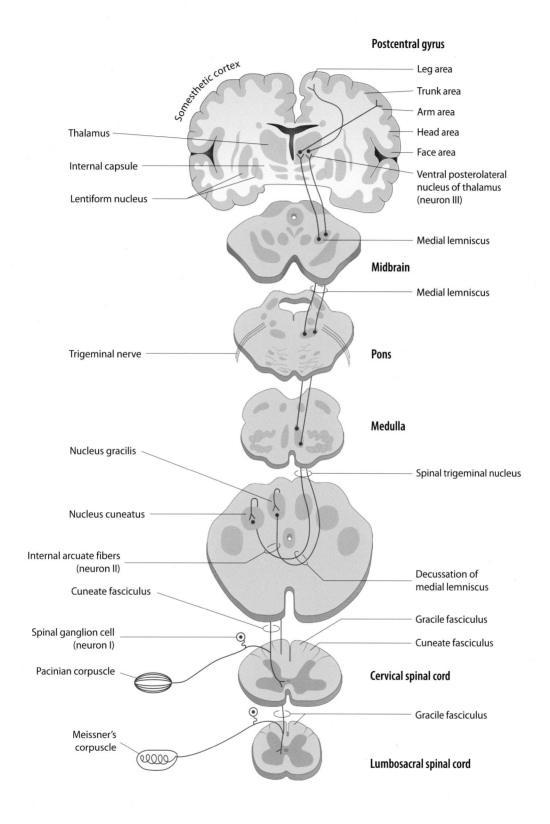

Postcentral gyrus

Somesthetic cortex

Leg area

Trunk area

Arm area

Head area

Face area

Thalamus

Internal capsule

Lentiform nucleus

Ventral posterolateral
nucleus of thalamus
(neuron III)

Medial lemniscus

Midbrain

Medial lemniscus

Trigeminal nerve

Pons

Medulla

Nucleus gracilis

Spinal trigeminal nucleus

Nucleus cuneatus

Internal arcuate fibers
(neuron II)

Decussation of
medial lemniscus

Cuneate fasciculus

Gracile fasciculus

Cuneate fasciculus

Spinal ganglion cell
(neuron I)

Pacinian corpuscle

Cervical spinal cord

Gracile fasciculus

Meissner's
corpuscle

Lumbosacral spinal cord

2) **Lateral spinothalamic tract** ★

　① **Pain** and **temperature** sense

　② pathway

　　ㄱ) **dorsal root fiber** / **dorsal root ganglion** / **dorsal horn**의 **zone**

　　　of Lissauer (lamina I, IV, V)

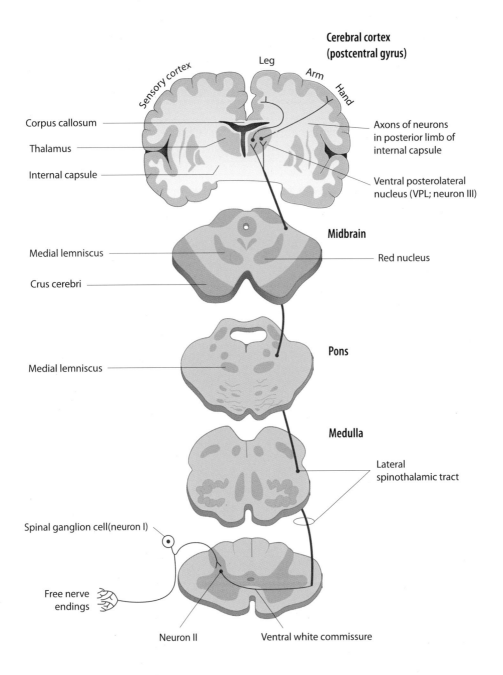

ㄴ) **anterior commissure** of each segment midline **cross**

ㄷ) ascending tract in lateral funiculus (**lateral spinothalamic tract**)

ㄹ) contralateral **VPL nucleus** of thalamus

ㅁ) **sensory cerebral cortex**

Cf. **Lateral spinothalamic tract**

① **anterior-medial** portion

 : **upper extremities**와 neck의 sensation

② **lateral-posterior** portion

 : lower portion of body (**lower extremities**) sensation

spinal cord로 들어
오자마자 midline
cross하여 올라감

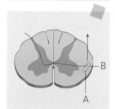

A : 상지의 통증 감각.
나중에 들어오니 가까
운 쪽에 위치

B : 하지의 통증 감각.
반대측에서 들어오자마
자 제일 먼쪽부터 놓이
게 됨

fiber	Diameter (μm)*	Conduction velocity (m/sec)	Function
Sensory axons			
Ia (A-α)	12-20	70-120	Proprioception, muscle spindles
Ib (A-α)	12-20	70-120	Proprioception, Golgi tendon, organs
II (A-β)	5-12	30-70	Touch, pressure, and vibration
III (A-δ)	2-5	12-30	Touch, pressure, fast pain, and temperature
IV (C)	0.5-1	0.5-2	Slow pain and temperature, unmyelinated fibers
Motor axons			
Alpha (A-α)	12-20	15-120	Alpha motor neurons of ventral horn (innervate extrafusal muscle fibers)
Gamma (A-γ)	2-10	10-45	Gamma motor neurons of ventral horn (innervate intrafusal muscle ibers)
Preganglionic autonomic fibers (B)	<3	3-15	Myelinated preganglionic autonomic fibers
Postganglionic autonomic fibers (C)	1	2	Unmyelinated postganglionic autonomic fibers

위 표는 nerve fiber (axon)에 대한 표로 각 fiber의 특성과 기능에 대해 객관식 등으로 출제되곤 하므로 잘 숙지하시기 바랍니다.

Diameter가 굵을수록 conduction velocity가 높음(빠름)

(알파α (알통muscle)는 빠름)

(C (pain)소리 나오게 느려터짐)

3 pain mechanism

1) **Pain perception ★**

① **Fast** pain: **sharp** and well localized pain. Through **A-delta** fiber

(A 뾰족함)

② **Slow** pain: **diffuse** and poorly localized pain. Through **C-fiber** (C 뭉툭함)

2) Pain perception pathway

A-delta fiber & **C-fiber**

⇨ **dorsal root ganglion**

⇨ **dorsal root entry zone (DREZ)**과 **dorsal horn**

⇨ **Lissauer tract** (fasciculus dorsolateralis)

⇨ **dorsal horn lamina I, II & V**

3) **Dorsal root entry zone ★**

: **lamina I~V**의 5 layer

① Lamina I: fiber from **nociceptor** and thermoreceptor

② Lamina II: fiber from **substantia gelatinosa, nociceptor,** thermoreceptor, and mechanoreceptor

③ Lamina III & IV: fiber from **mechanoreceptor**

④ Lamina V: fiber toward contralateral **spinothalamic tract**

4 Pain inhibition mechanism

1) **Gate control theory ★**

① **Gate**: DREZ lamina II(substantia gelatinosa)

② Mechanism − inhibition of pain fiber (A−delta fiber & C−fiber)

ㄱ) by **A-beta fiber**

ㄴ) by **descending fiber system** (using **dopamine, serotonin** 및 **norepinephrine**) from **brain stem** (**periaqueductal gray & nucleus raphe magnus**)

Gate는 어느 부위에 위치하는지, mechanism이 무엇인지 잘 알고 쓰실 수도 있어야 합니다.

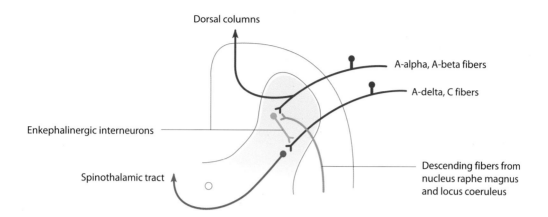

5 ▸ Spinal reflex (척수반사)

1) Spinal reflex arc의 구성

　① peripheral receptor

　② afferent neuron (sensory neuron)

　③ internuncial neuron

　④ efferent neuron (motor neuron)

　⑤ terminal effector (muscle)

Cf. Muscle stretch reflex (deep tendon reflex): no internuncial neuron

2) Muscle fiber

		Afferent nerve fiber	Efferent fiber
Intrafusal muscle fiber (muscle spindle)	Nuclear bag fiber	Ia sensory neuron	**Gamma** motor neuron
	Nuclear chain fiber	II sensory neuron	Gamma motor neuron
Extrafusal muscle fiber			**Alpha** motor neuron

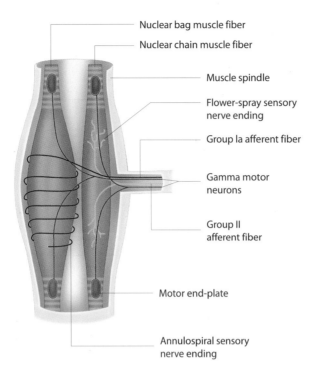

Nuclear bag muscle fiber

Nuclear chain muscle fiber

Muscle spindle

Flower-spray sensory
nerve ending

Group Ia afferent fiber

Gamma motor
neurons

Group II
afferent fiber

Motor end-plate

Annulospiral sensory
nerve ending

3) Muscle stretch vs. relaxation

① **muscle stretch**

nuclear bag region (muscle spindle) stretch

⇨ **Ia afferent fiber**

⇨ alpha motor neuron ⇨ **muscle contraction**

⇨ gamma motor neuron ⇨ muscle tone control

② muscle relaxation

muscle spindle: no stretch

4) golgi tendon organ (**GTO**)

golgi tendon organ stretch & release

Afferent fiber (**Ib sensory neuron**).

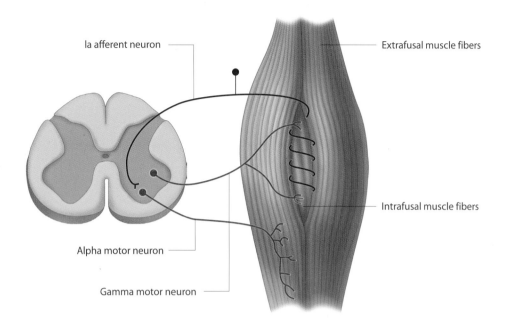

Ia afferent neuron — Extrafusal muscle fibers

Intrafusal muscle fibers

Alpha motor neuron

Gamma motor neuron

⇨ spinal cord로 들어가서

⇨ alpha motor neuron

⇨ agonist muscle로 향하는 neuron은 억제하고 antagonist muscle로
향하는 neuron은 촉진

5) stretch reflex (**deep tendon reflex**)

  ① monosynaptic reflex arc

    ㄱ) Ia afferent (muscle spindle)

    ㄴ) Ib afferent (GTO)

    ㄷ) alpha 및 gamma efferent fiber

  ② **knee jerk(deep tendon reflex) pathway ★**

    ㄱ) Stimuli on tendon of Quadriceps femoris muscle

    ㄴ) stretching of intrafusal muscle fiber

ㄷ) la afferent fiber

ㄹ) alpha motor neuron ⇨ contraction of Quadriceps femoris

inhibitory interneuron ⇨ relaxation of knee flexor muscle

ㅁ) knee extension

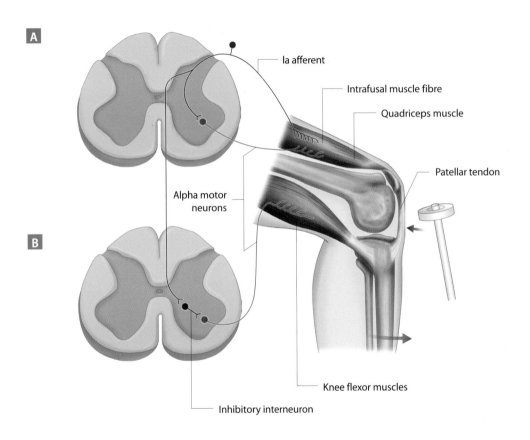

6) Flexor reflex and Crossed extensor reflex

① Flexor reflex (withdrawal reflex) 바닥에 떨어진 못을 밟았을 때 밟은 다리는 flexion 하며 들어올리게 되는 반사

ㄱ) ipsilateral limb flexor contraction

ㄴ) ipsilateral limb extensor relaxation ⇨ withdrawal from an injurious stimulus

② Crossed extensor reflex

ㄱ) ipsilateral limb flexor reflex activation

ㄴ) simultaneous contralateral limb reflex extension activation ⇨ weight bearing

> Crossed extensor reflex
>
> 바닥에 떨어진 못을 밟았을 때 밟은 다리는 flexion 하며 들어올리면서 균형을 잃지 않게 반대쪽 다리로는 extension하여 지탱하게 되는 반사

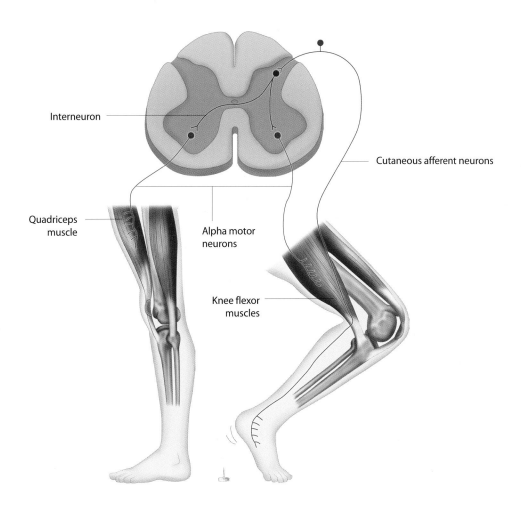

06

척수
Spinal cord

1 구조적 특징

1) posterior funiculus의 septum above T6 level

  : f. gracilis & f. cuneatus

2) lateral horn at thoracic level

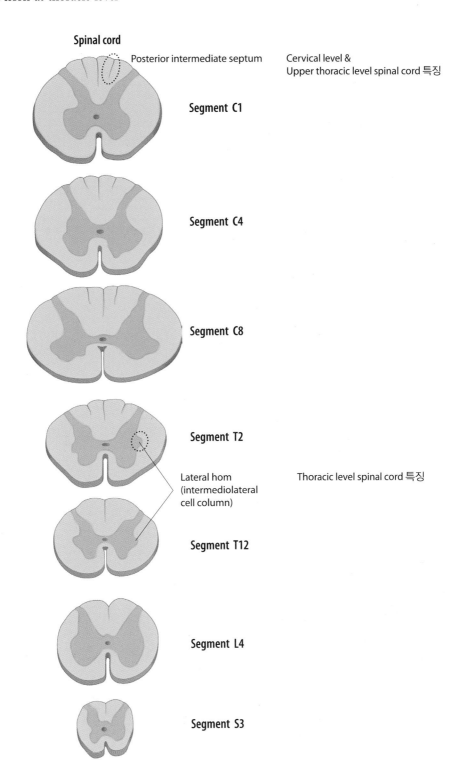

Spinal cord

Posterior intermediate septum

Cervical level &
Upper thoracic level spinal cord 특징

Segment C1

Segment C4

Segment C8

Segment T2

Lateral hom
(intermediolateral
cell column)

Thoracic level spinal cord 특징

Segment T12

Segment L4

Segment S3

2 ascending spinal tract and descending spinal tract
(각 신경다발 위치 ★★)

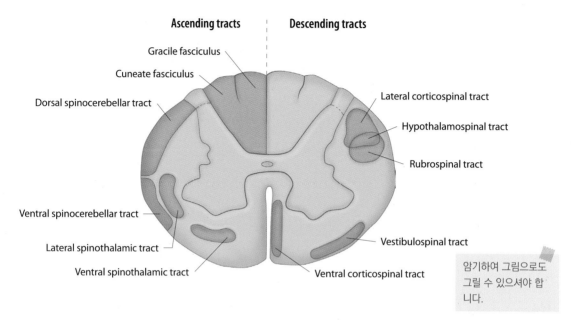

Ascending tracts   **Descending tracts**

Gracile fasciculus

Cuneate fasciculus

Dorsal spinocerebellar tract

Lateral corticospinal tract

Hypothalamospinal tract

Rubrospinal tract

Ventral spinocerebellar tract

Lateral spinothalamic tract

Vestibulospinal tract

Ventral spinothalamic tract

Ventral corticospinal tract

1) **Ascending** spinal tract

  ① **Posterior white column pathway ★**

    ㄱ) **dorsal root fiber** / synapse at **dorsal root ganglion** / **posterior horn**의 내측

    ㄴ) **f. gracilis**와 **f. cuneatus** (ipsilateral posterior white column)

    ㄷ) **nucleus gracilis**와 **nucleus cuneatus** (medulla)

    ㄹ) **internal arcuate fiber** (midline **cross**) ⇨ **medial lemniscus**

    ㅁ) ascending lemniscal fiber

    ㅂ) **VPL thalamic nucleus**

    ㅅ) thalamocortical fiber

    ㅇ) posterior limb of **internal capsule**

    ㅈ) **sensory cerebral cortex**

암기하여 그림으로도 그릴 수 있으셔야 합니다.

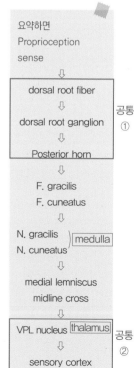

요약하면
Proprioception sense
⇩
dorsal root fiber
⇩
dorsal root ganglion
⇩
Posterior horn
   공통 ①
⇩
F. gracilis
F. cuneatus
⇩
N. gracilis ⎫ medulla
N. cuneatus ⎭
⇩
medial lemniscus
midline cross
⇩
VPL nucleus thalamus
   공통 ②
⇩
sensory cortex

② **Lateral spinothalamic tract ★**

ㄱ) **dorsal root fiber** ⇨ synapse at **dorsal root ganglion** ⇨ **dorsal horn**의 **zone of Lissauer** ⇨ **lamina I, IV, V**

ㄴ) **anterior commissure** of each segment **cross**

ㄷ) ascending tract in lateral funiculus (**lateral spinothalamic tract**)

ㄹ) **VPL nucleus** of thalamus

ㅁ) **sensory cerebral cortex**

③ **Spinocerebellar tract** (spinal cord ~ cerebellum) ★

ㄱ) 기능: sensory impulse 전달. For fine coordination of posture & movement

ㄴ) 구분

	Afferent fiber	Ascending tract	Cross
Leg	Ia, Ib	Posterior spinocerebellar tract	Uncross
	Ib (from GTO)	**Anterior spinocerebellar tract**	**Cross 2 times ★**
Arm	Ia, Ib	Cuneocerebellar tract	Uncross
	Ib (from GTO)	Rostral spinocerebellar tract	Uncross

④ Spinoolivary pathway (spinal cord ~ inferior olive ~ cerebellum)

ㄱ) 기능: muscle tone 유지에 관여

ㄴ) spinocerebellar tract의 일종

⑤ Spinoreticular fibers (ascending reticular system) (spinal cord ~ brain stem reticular formation)

ㄱ) 기능: 의식 및 각성상태를 유지(behavioral awareness, modification of motor & sensory activities, modulation of electrical activity)

요약하면

Pain & temperature sense

⇩

공통 ①

⇩

Zone of Lissauer (Lamina I, IV, V)

⇩

Anterior commissure

⇩

midline cross

⇩

Lateral spinothalamic tract

⇩

공통 ②

3 descending spinal tract

1) **Corticospinal system** (cerebral cortex ~ spinal cord) ★

① cerebral cortex로부터 medullary pyramid를 경유하여 spinal cord에 도
달하는 fiber

② 기능: control **skilled voluntary movement**

③ **pathway**

ㄱ) **precentral area (area 4), premotor area (area 6), post central gyrus (area 3, 1, 2), adjacent parietal area (area 5)**

ㄴ) **corona radiata**

ㄷ) **internal capsule**

ㄹ) **crus cerebri** at (midbrain)

ㅁ) **medulla**

ㅂ) **incomplete decussation (medulla & spinal cord junction-spino-medullary junction)**

ㅅ) 3 tracts

– Large lateral corticospinal tract (crossed) 90%

– anterior corticospinal tract (uncrossed)

– anterolateral corticospinal tract (uncrossed) 10%

ㅇ) **spinal lamina VII, VIII, IX**

2) **Tectospinal tract** (brain stem ~ spinal cord)

① 기능: involve **reflex postural movement to Visual or Auditory stimuli**

② pathway

ㄱ) **superior colliculus**

ㄴ) dorsal tegmental decussation

ㄷ) anterior funniculus

ㄹ) upper cervical segment

3) **Rubrospinal tract** (brain stem ~ spinal cord)

  ① 기능: control **flexor muscle** group의 tone

  ② pathway

    ㄱ) **red nucleus** (magnocellular region)

    ㄴ) ventral tegmental decussation

    ㄷ) spinal lamina V, VI, VII

    ㄹ) internuncial neuron

    ㅁ) flexor alpha motor neuron

4) **Vestibulospinal tract** (brain stem ~ spinal cord)

  ① 기능: control **extensor muscle** group의 tone

  ② pathway

    ㄱ) **lateral vestibular nucleus**

    ㄴ) anterior funniculus

    ㄷ) spinal lamina VII, VIII

5) **Reticulospinal tract** (brain stem ~ spinal cord)

  ① 기능: **호흡중추**로부터의 impulse를 전달

  ② pathway

    ㄱ) pons와 medulla의 **nucleus of reticularis**

    ㄴ) anterior funniculus

    ㄷ) spinal lamina VII, VIII

4   spinal cord lesion ★

1) **Corticospinal tract lesion**

  ① 분류

    ㄱ) **upper motor neuron lesion** ★

      a. upper motor neuron: high level CNS cell, cranial nerve nucleus

한마디로 뇌와 뇌신경,
그리고 척수까지 연결
하는 뉴런의 손상

of brain stem, spinal cord의 anterior horn cell까지 연결하는 axon

b. 증상: ★

Contralateral hemiplegia

hypotonia, ⇨ hypertonia (spasticity & rigidity)

decrease DTR ⇨ increased DTR (clonus)

Babinski sign

Hoffmann's sign

ㄴ) lower motor neuron lesion ★

a. lower motor neuron: anterior horn cell of spinal cord, skeletal muscle innervated by anterior horn cell of spinal cord, muscle innervated by motor nerve cell and cranial nerve of brain stem

b. 증상: ★

Ipsilateral hemiplegia

hypotonia (flaccid), decreased DTR

atrophy

fibrillation & fasciculation

> Upper motor neuron lesion
> Lower motor neuron lesion
> 의미와 증상의 차이 중요합니다.

> 한마디로 척수와 척수 신경, 그리고 근육의 손상

Cf. Spasticity vs. Rigidity

	Spasticity	Rigidity
Lesion	Corticospinal tract Extrapyramidal tract	Extrapyramidal tract
Response to passive manipulation	Clasp-knife phenomenon	Cogwheel type

2) Complete spinal cord transection

   ① Symptom

      ㄱ) spinal shock: loss of somatic sensation, visceral sensation, motor

         function, muscle tone, reflex activity at level under the lesion

         3주 시점부터 회복 시작

      ㄴ) Babinski sign

      ㄷ) 3~6주간 minimal reflex activity, 6~16주간 flexor spasm

      ㄹ) Conus medullaris 손상 증상

         a. saddle anesthesia

         b. urinary & fecal incontinence

         c. impotence

         d. loss of anal reflex

3) Spinal hemisection (**Brown-sequard syndrome**) ★

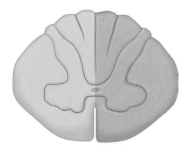

Hemisection of the spinal cord (Brown-Sequard syndrome)

			Ipsilateral side	Contralateral side
Level under the lesion	Sensory	Position sense, tactile sense, discrimitive sense	Loss	
		Pain and temperature sense		Loss
	Motor		Hemiplegia UMN lesion symptoms	
Level of the lesion	Sensory	Position sense, tactile sense, discrimitive sense	Loss	
		Pain and temperature sense	Loss	Loss
	Motor		Hemiplegia LMN lesion symptoms	

Brown-Seguad Syndrome시 보일 수 있는 증상을 설명할 수 있어야 합니다. 위 표를 참조하세요.

4) syringomyelia (척수공동증)

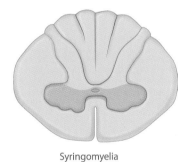

Syringomyelia

① progressive cavitation around central canal

    (m/c cervical cord enlargement area)

② symptom (Dissociate sensory loss) ★

    ㄱ) loss of pain and temperature sense

       due to injury of spinothalamic (anterior commissure involved)

    ㄴ) spared sense of position, vibration, touch

       due to no injury of posterior white column

5) amyotrophic lateral sclerosis (근위축성 측색 경화증)

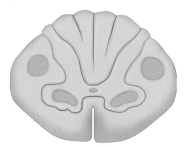

Amyotrophic lateral sclerosis

① degenerative change at corticospinal tract & anterior horn cell

② symptom: **UMN lesion symptom and LMN lesion symptom**

6) Pernicious anemia

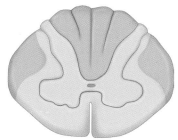

Subacute combined degeneration (vitamin B$_{12}$ neuropathy)

① injury at posterior white column and corticospinal tract

　　Due to vitamin B12 deficiency

② symptom: sensory & motor disturbance

7) Tabes dorsalis

① degeneration & demyelination of dorsal root ganglion, degeneration

　　of posterior white columm

　　Due to syphilis infection

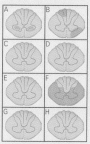

spinal cord lesion 단면그림 숙지하세요.

(C),(D),(E),(G),(H) 그림은 본문에서 다룬 부분이고 그림이 있으 니 손상병변을 직접 색칠해보시면 암기에 도움이 되겠습니다.

(A) Poliomyelitis and progressive infantile muscular atrophy (Werdnig-Hoffmann disease)

(B) Multiple sclerosis

(C) Posterior (dorsal) column disease (tabes dorsalis)

(D) Amyotrophic lateral sclerosis

(E) Hemisection of the spinal cord (Brown–Séquard syndrome)

(F) Complete anterior (ventral) spinal artery occlusion of the spinal cord

(G) Subacute combined degeneration (vitamin B12 neuropathy)

(H) Syringomyelia

필수 신경해부학 (Essential Neuroanatomy)

뇌간
Brain stem

Brain stem은 **medulla, pons, midbrain** 세 부분으로 나뉨

(세 부분의 특징적인 횡단면 모양, 내부의 주요신경핵과 신경다발의 위치 ★)

각 뇌간 부위에 따른 신경핵 보유현황 요약:

medulla — 8, 9, 10, 11, 12th CN

pons — 5, 6, 7, 8th CN

midbrain — 3, 4th CN

---

1 Medulla

1) 가장 특징적인 구조물(단면상에서)

: inferior olivary nuclear complex (지렁이를 떠올리세요 — medulla)

2) Sectional anatomy at Inferior olivary nuclear complex level

> Brain stem중 가장 아래쪽에 위치.
> Spinal cord와 접하고 있음.

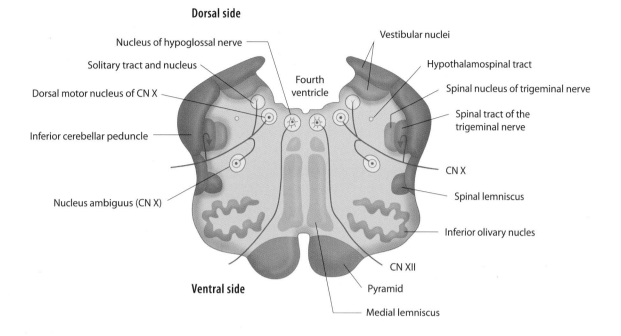

Dorsal side

Nucleus of hypoglossal nerve
Solitary tract and nucleus
Dorsal motor nucleus of CN X
Inferior cerebellar peduncle
Nucleus ambiguus (CN X)
Fourth ventricle
Vestibular nuclei
Hypothalamospinal tract
Spinal nucleus of trigeminal nerve
Spinal tract of the trigeminal nerve
CN X
Spinal lemniscus
Inferior olivary nucles
CN XII
Pyramid
Ventral side
Medial lemniscus

① 제4뇌실

ㄱ) roof: tela choroidea

ㄴ) floor: 3 round eminence

　　a. 내측 eminence: hypoglossal nucleus

　　b. 가운데 eminence: vagal nucleus

　　c. 외측 eminence: vestibular nucleus

② Inferior olivary nuclear complex

ㄱ) efferent fiber: cross through median raphe ⇨ contralateral side의

　　inferior cerebellar peduncle ⇨ cerebellar cortex

③ Raphe nuclei

ㄱ) Brain stem의 midline을 따라 위치한 cell group

ㄴ) 대부분 serotonin을 합성하는 neuron

ㄷ) bilaterally descending to spinal lamina I, II

ㄹ) inhibition of nociceptive impulse

④ Medullary reticular formation

　ㄱ) efferent fiber: nucleus reticularis gigantocellularis ⇨ central teg-

　　mental tract ⇨ intralaminar thalamic nucleus (CM−PF complex)

　ㄴ) involve "arousal from sleep"

2 ▶ Pons

brain stem의 중간에
위치.
다리 역할 – 뇌교

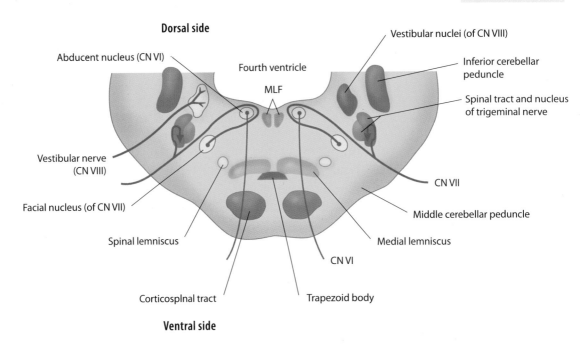

Dorsal side

Abducent nucleus (CN VI)

Fourth ventricle

MLF

Vestibular nuclei (of CN VIII)

Inferior cerebellar peduncle

Spinal tract and nucleus of trigeminal nerve

Vestibular nerve (CN VIII)

Facial nucleus (of CN VII)

Spinal lemniscus

Corticosplnal tract

Trapezoid body

CN VI

Medial lemniscus

Middle cerebellar peduncle

CN VII

Ventral side

1) 특징적인 구조물 pontine tegmentum (Dorsal pons)

　: cranial nuclei (V, VI, VII, VIII), descending tract, ascending tract, retic-

　ular nuclei

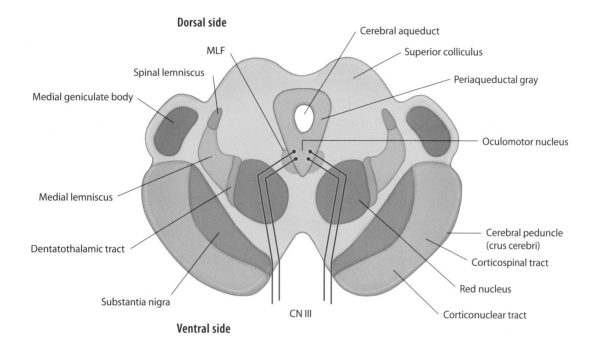

> **3** **Midbrain**

Brain stem중 가장 위쪽에 위치.

Midbrain은 tectum, tegmentum 및 crus cerebri 세부분으로 나뉨

trochlear nuclei와 **oculomotor nuclei**가 midline 가까이 위치

1) 특징적인 구조물(육안상 또는 단면상 sup-, inf- colliculus와 red nucleus ★)

   inferior colliculus와 superior colliculus

2) inferior colliculus

   ① **auditory** impulse 전달

   ② **lateral lemniscus** ⇨ **inferior colliculus** ⇨ **medial geniculate body**

      (thalamus) ⇨ primary **auditory** cortex

3) superior colliculus

   ① **visual** pathway의 일부분

★	중간경로	Midbrain	Thalamus
Visual	Optic tract	Superior colliculus	Lateral geniculate body
Auditory	Lateral lemniscus	Inferior colliculus	Medial geniculate body

Cf. medial lemniscus: posterior white column-medial lemniscus pathway

VOSL – 보실려면 보세요

ALIM – 알림을 들어주세요

② retina ⇨ optic nerve ⇨ optic tract ⇨ **superior colliculus** (retinotectal

fiber 경유) ⇨ **lateral geniculate body (thalamus)**

Cf. superior colliculus and visual field

Contralateral visual field

ㄱ) upper quadrant는 superior colliculus의 medial part에 termination하고

ㄴ) lower quadrant field는 lateral part에 termination함.

ㄷ) peripheral field는 caudal 2/3에 termination하고

ㄹ) central field는 rostral 1/3에 termination함.

③ Corticotectal fiber

Frontal lobe ⇨ ipsilateral superior colliculus의 middle layer

: involve **saccadic conjugate eye movement**

Visual cortex ⇨ superior colliculus의 superficial layer

: **response to visual stimuli**

4) **Red nucleus**

① magnocellular part와 parvicellular part 두 부분

ㄱ) **Magnocellular part**

rubrospinal tract 시작 (ventral tegmental decussation)

Cf. rubrospinal tract

Termination at spinal level의 flexor alpha motor neuron

ㄴ) **Parvicellular part**

synapse with fiber from **deep cerebellar nuclei** (decussation via

superior cerebellar peduncle)

Cf. deep cerebellar nuclei

: dentate nuclei, emboliform nuclei, globose nuclei

4 Brain stem lesion

1) **Medulla** lesion

① **Wallenberg syndrome** (lateral medullary syndrome, **PICA syndrome**)

: **dissociated sensory loss** (ipsilateral sensory loss of face − pain & temperature) (contralateral sensory loss of body − pain & temperature)

〈참고〉
Syringomyelia
: dissociated sensory loss symptom. loss of pain and temperature sense, but preserved sense of position, vibration, touch

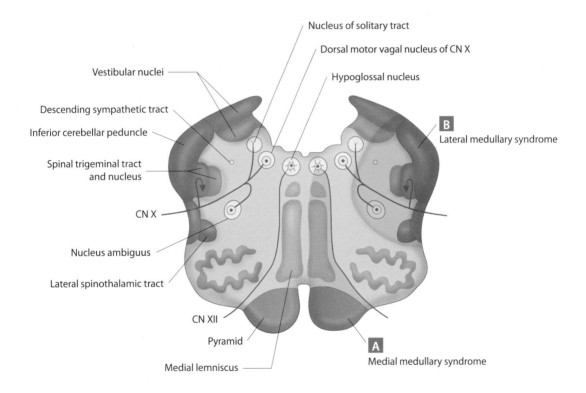

ㄱ) Involved nucleus and fibers

    a. vestibular nuclei

    b. inferior cerebellar peduncle

    c. nucleus ambiguous of CN IX, X, and CN XI

    d. glossopharyngeal nerve roots

    e. vagal nerve roots

    f. spinothalamic tracts

    g. spinal trigeminal nucleus and tracts

    h. descending sympathetic tract

2) **Pons** lesion

   ① medial longitudinal fasciculus (MLF) syndrome

     : internuclear ophthalmoplegia

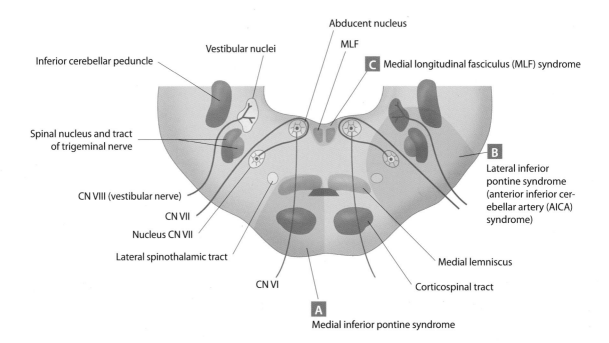

Inferior cerebellar peduncle

Vestibular nuclei

Abducent nucleus

MLF

C Medial longitudinal fasciculus (MLF) syndrome

Spinal nucleus and tract of trigeminal nerve

B Lateral inferior pontine syndrome (anterior inferior cerebellar artery (AICA) syndrome)

CN VIII (vestibular nerve)

CN VII

Nucleus CN VII

Lateral spinothalamic tract

Medial lemniscus

Corticospinal tract

CN VI

A Medial inferior pontine syndrome

46

3) Midbrain lesion

① dorsal midbrain (Parinaud's syndrome)

ㄱ) superior colliculus, pretectal area involve ⇨ paralysis of upward and downward gaze, pupillary disturbances, and absence of convergence

ㄴ) cerebral aqueduct involve ⇨ hydrocephalus

② paramedian midbrain (Benedikt's syndrome)

ㄱ) oculomotor nerve roots, dentatothalamic fiber, medial lemniscus involve ⇨ ipsilateral oculomotor paralysis, contralateral cerebellar dystaxia with intention tremor, contralateral loss of tactile sensation from the trunk and extremities

③ medial midbrain (Weber's syndrome)

ㄱ) oculomotor nerve roots, corticospinal tract, corticonuclear fiber involve ⇨ ipsilateral oculomotor paralysis, contralateral spastic hemiparesis, contralateral weakness of the lower face, tongue, palate

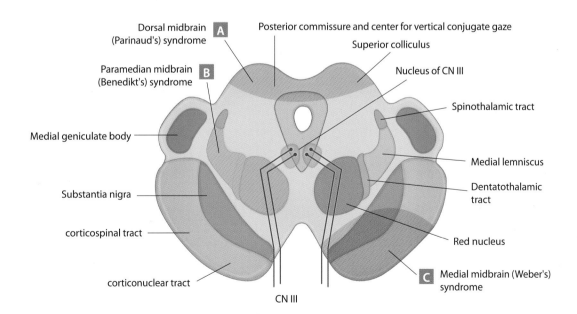

08

필수 신경해부학 (Essential Neuroanatomy)

뇌신경과 뇌신경핵
Cranial nerve and Cranial nuclei

외우셔야 합니다~ 꼭!

1. (SVA) 후각
2. SSA 눈
3. (GSE) GVE
4. (GSE) GSA ──── 동안근
5. SVE, GSA (얼굴감각)
6. (GSE) ⌒ - 씹기
7. GSA GVA (SVA) GVE SVE
8. SSA 귀   미각
9. GSA GVA (SVA) GVE SVE
10. GSA GVA (SVA) GVE SVE
11. SVE 삼키기
12. (GSE) 혀
* 7,9,10th CN은 기능이 5개!!!

---

1 시신경 Optic nerve

1) Special somatic afferent fiber. vision

　① SSA fiber

　　ㄱ) **Visual pathway ★**

　　　a. Ganglion cells of the **retina**

　　　b. **optic nerve**

　　　c. **optic chiasm**

　　　　decussating fibers from the two nasal hemiretinas

　　　　no crossing fibers from the two temporal hemiretinas

　　　d. **optic tract**

　　　e. **ipsilateral lateral geniculate body**

　　　f. **geniculocalcarine tract (visual radiation)**

　　　g. **visual cortex**

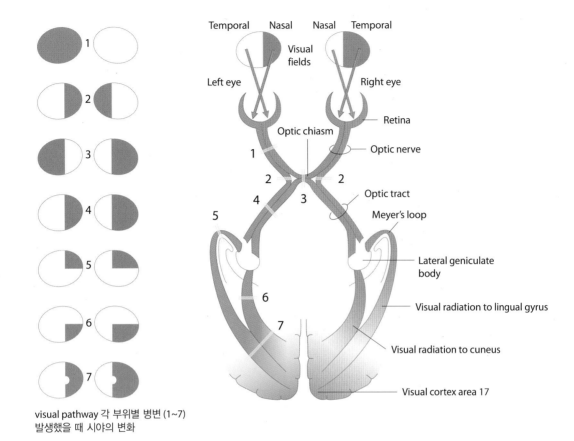

visual pathway 각 부위별 병변 (1~7)
발생했을 때 시야의 변화

ㄴ) **Geniculocalcarine tract**

  a. **Upper** division

    Input from the superior retinal quadrants (**inferior visual-field** quadrants)

    Terminate in the **upper bank** of the **calcarine sulcus** (the cuneus)

  b. **Lower** division (Meyer's loop)

    Input from the inferior retinal quadrants (**superior visual field** quadrants)

    Terminate in the **lower bank** of the calcarine sulcus (the lingual gyrus)

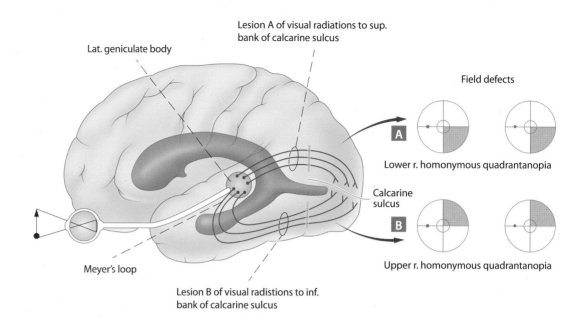

Lat. geniculate body

Lesion A of visual radiations to sup. bank of calcarine sulcus

Field defects

A

Lower r. homonymous quadrantanopia

Calcarine sulcus

B

Upper r. homonymous quadrantanopia

Meyer's loop

Lesion B of visual radistions to inf. bank of calcarine sulcus

ㄷ) **Pupillary light reflex pathway** ★

    a. Ganglion cells of the **retina**

    b. **bilateral pretectal nucleus** of midbrain

    c. **posterior commissure**

    d. accessory oculomotor **(Edinger-Westphal) nucleus**

    e. **preganglionic parasympathetic fiber**

    f. **ciliary ganglion**

    g. **postganglionic parasympathetic fibers**

    h. **sphincter muscle** of the **iris**

주관식 답안으로 쓸수 있도록 암기 하셔야 합니다.

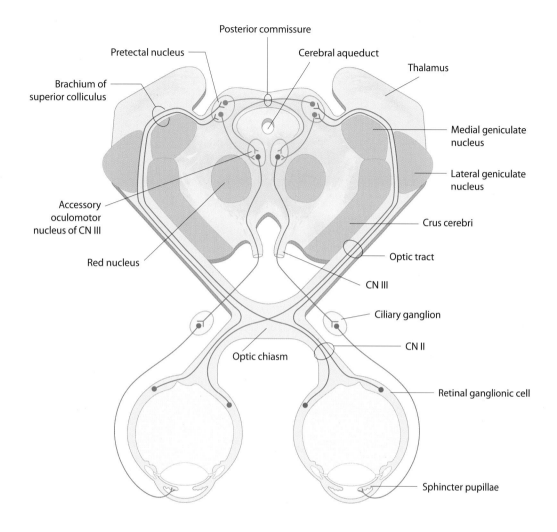

2 동안신경 동안신경핵 Oculomotor nuclei

1) midbrain tegmentum에 위치하는 motor nuclei

2) general somatic efferent와 general visceral efferent

　① GSE fiber

　　ㄱ) innervate extraocular muscle (except levator palpabrae muscle

　　　and lateral rectus, superior oblique muscle)

　　Cf. cranial nerve and EOM

Lateral rectus: CN6, Superior oblique: CN4, The others: CN3

(LR 6 SO 4 the others 3)

② **GVE fiber**

preganglionic parasympathetic fiber

oculomotor nerve ⇨ **ciliary ganglion** ⇨ **short ciliary nerve** (post-ganglionic parasympathetic fiber) ⇨ **ciliary muscle**과 **sphincter of iris**

③ **Pupillary light reflex**

ㄱ) direct pupillary light reflex

Light ⇨ ipsilateral pupil constriction

Light off ⇨ ipsilateral pupil dilatation

ㄴ) indirect pupillary light reflex

Light ⇨ contralateral pupil constriction

ㄷ) **pathway**

Retina ganglion ⇨ **optic nerve** ⇨ **optic tract** ⇨ **lateral geniculate body** ⇨ **superior colliculus and pretectal area** ⇨ **bilateral Edinger-Westphal nuclei of oculomotor complex** ⇨ **pregangli-onic parasympathetic fiber** ⇨ **ciliary ganglion** ⇨ **sphincter of iris**

> Light reflex path-way 암기 하셔야 합니다.

---

3 삼차신경 삼차신경핵 Trigeminal nerve

1) GSA fiber와 SVE fiber

① GSA fiber

ㄱ) touch, pain, thermal sense (from face와 forehead의 skin, nose와 nasal sinus, oral cavity의 mucous membrane, teeth, cranial dura)

ㄴ) trigeminal ganglion and spinal trigeminal ganglion ⇨ principal sensory nucleus of trigeminal nerve

ㄷ) proprioceptive sense (from teeth, TM joint)

trigeminal ganglion ⇨ mesencephalic nucleus of trigeminal nerve

② SVE fiber

ㄱ) innervate mastication muscle or tensor tympani & tensor veli palatini

trigeminal motor nucleus ⇨ trigeminal nerve의 mandibular division

4 외향신경 외향신경핵 abducens nerve

1) GSE fiber

① innervate lateral rectus muscle

② Trigeminal nucleus의 motor neuron ⇨ innervate ipsilateral LR muscle

③ internuclear neuron ⇨ midline cross ⇨ ascending contralateral MLF

⇨ oculomotor nucleus ⇨ contralateral MR muscle

④ input from ipsilateral medial vestibular nucleus and paramedian pon-

tine reticular formation

⑤ lateral conjugate gaze

: simultaneous contraction of ipsilateral LR (Lateral rectus) muscle

and contralateral MR (Medial rectus) muscle

ㄱ) Cortical center for eye movement

: **frontal eye field** (Brodmann's area 8). **voluntary (saccadic) eye**

movement

Cf. **Occipital eye field** (Brodmann's area 18 and 19)

: **involuntary** (smooth) **pursuit and tracking eye movement**

ㄴ) Subcortical center for lateral conjugate gaze

: Abducent nucleus of the pons

ㄷ) Lateral conjugate gaze pathway

a. Contralateral frontal eye field

b. abducent nucleus

c. ipsilateral lateral rectus muscle

d. contralateral medial rectus via subnucleus of the occulomotor

complex (through MLF)

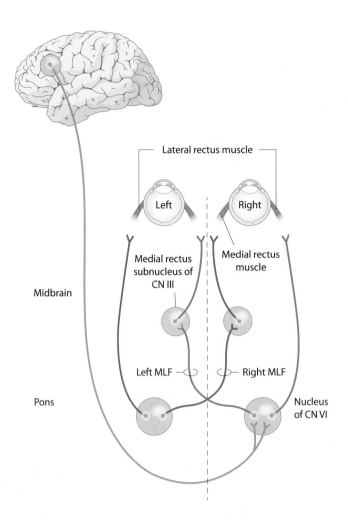

Cf. Syndrome related with eye movement

 ① MLF syndrome

  : internuclear ophthalmoplegia, medial rectus palsy when lateral

  conjugate gaze

 ② One-and-a-half syndrome

  : bilateral MLF lesion with unilateral abducent nucleus lesion,

  only intact lateral rectus when lateral conjugate gaze

5 안면신경 안면신경핵 Facial nerve

1) SVE, GVE, GSA, SVA, GVA

  ① SVE fiber

    ㄱ) innervate facial expression muscle, platysma, buccinator muscle

    ㄴ) corneal reflex (input from spinal trigeminal nucleus)

  ② GVE fiber

    ㄱ) innervate nasal, palatine, lacrimal gland (as superficial petrosal nerve)

    from superior salivatory nucleus of facial nucleus

    ㄴ) innervate submandibular, sublingual gland (as chorda tympani nerve)

  ③ GSA fiber

    ㄱ) cutaneous sense from external auditory meatus, back of the ear

  ④ SVA fiber

    ㄱ) solitary fasciculus ⇨ gustatory nucleus

  ⑤ GVA fiber

    ㄱ) sense from soft palate

2) Facial palsy ★

  ① Central type

    ㄱ) involve corticobulbar or corticoreticular fiber

    ㄴ) contralateral side facial muscle paralysis

      a. corticobulbar fiber

        ⇨ bilaterally innervate facial nucleus of upper part facial muscle

        ⇨ crossed projection to contralateral facial nucleus of lower part facial muscle

  ② Peripheral type (Bell's palsy)

    ㄱ) lesion of nerve exiting out of stylomastoid foramen

ㄴ) **ipsilateral** side **upper part** & **lower part** of facial muscle paralysis

ㄷ) sparing Corneal sensation, loss of corneal reflex

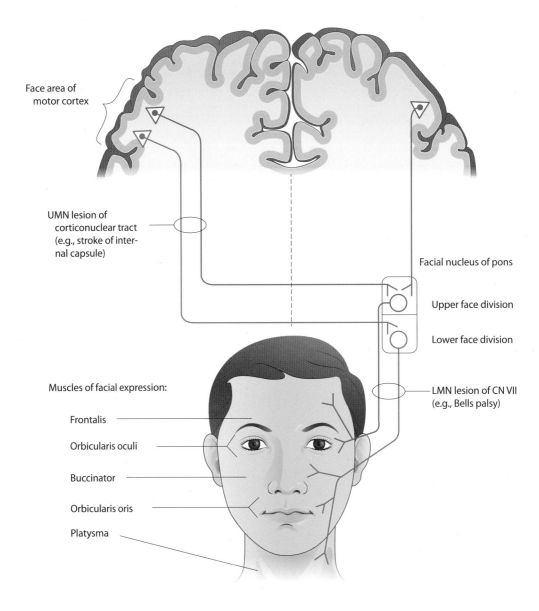

Face area of motor cortex

UMN lesion of corticonuclear tract (e.g., stroke of internal capsule)

Facial nucleus of pons

Upper face division

Lower face division

LMN lesion of CN VII (e.g., Bells palsy)

Muscles of facial expression:

Frontalis

Orbicularis oculi

Buccinator

Orbicularis oris

Platysma

6 **전정달팽이신경 전정달팽이신경핵**
vestibulocochlear nerve

1) Vestibulocochlear nerve: cochlear part and vestibular part

2) cochlear part: auditory function

   ① Auditory pathway ★

      — Sound wave from external ear

      — tympanic membrane and ear ossicle

      — scala vestibuli and scala tympani

      — basilar membrane of organ of Corti

      — hair cell bending ⇨ spiral ganglion

      — cochlear nerve

      — internal auditory meatus and cerebellopontine angle

      — Cochlear nucleus complex

         high tone impulse: dorsal cochlear nucleus

         low tone impulse: ventral cochlear nucleus

      — pontine tegmentum

      — trapezoid body

      — contralateral side superior olivary nucleus (일부 ipsilateral SON)

      — lateral lemniscus

      — inferior colliculus (일부 contralateral inferior colliculus)

      — medial geniculate body

      — primary auditory cortex (transverse temporal gyrus of Heschl)

   ② Hearing loss

     : 3가지 종류

     ㄱ) conductive type

       : lesion in external auditory canal and middle ear

     ㄴ) sensorineuronal type

〈Auditory pathway〉
요약

Sound wave
▶ Tympanic mem-
  brane
▶ Organ of Corti
▶ Cochlear nerve
▶ Internal auditory
  meatus
▶ Cochlear nucleus
▶ Trapezoid body
▶ Superior olivary
  nucleus (contralat.)
▶ Lateral lemniscus
▶ Inferior colliculus
▶ Medial geniculate
  body
▶ Primary auditory
  cortex

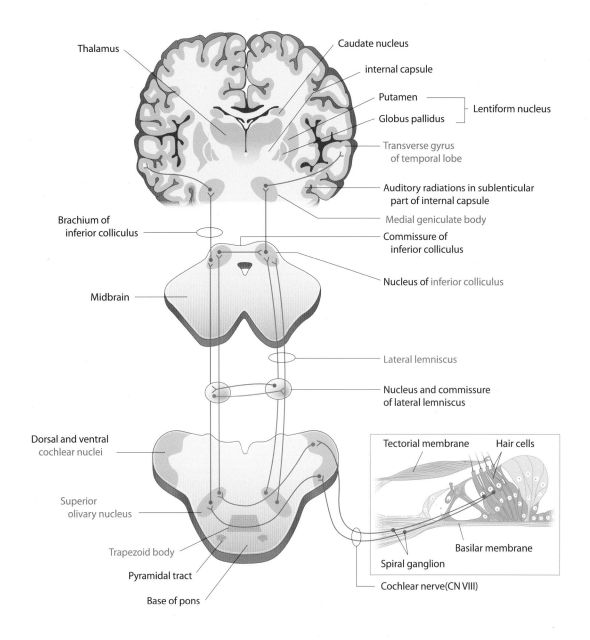

Thalamus

Caudate nucleus

internal capsule

Putamen

Globus pallidus

Lentiform nucleus

Transverse gyrus of temporal lobe

Auditory radiations in sublenticular part of internal capsule

Medial geniculate body

Brachium of inferior colliculus

Commissure of inferior colliculus

Nucleus of inferior colliculus

Midbrain

Lateral lemniscus

Nucleus and commissure of lateral lemniscus

Dorsal and ventral cochlear nuclei

Tectorial membrane

Hair cells

Superior olivary nucleus

Trapezoid body

Basilar membrane

Pyramidal tract

Spiral ganglion

Base of pons

Cochlear nerve(CN VIII)

: lesion in cochlear and cochlear nerve (VIII cranial nerve의 audi-

tory part)

ㄷ) central hearing disorder

lesion in secondary, tertiary auditory fiber

3) **vestibular part**: control **equilibrium**

① Vestibulospinal tract (Body orienting reflex)

ㄱ) Lateral vestibulospinal tract (body posture and balance control)

Lateral vestibular nucleus ⇨ ventral horn of all levels of spinal

cord (synapse with interneuron a/w α motor neuron and γ motor

neuron) ⇨ extensor muscles

ㄴ) Medial vestibulospinal tract (head position)

Medial vestibular nucleus ⇨ cervical and upper thoracic region of

spinal cord (synapse with interneuron a/w α motor neuron and γ

motor neuron) ⇨ neck muscle

7 미주신경 Vagus nerve

1) GSA, GVA, SVA, GVE, SVE

① GSA fiber

ㄱ) innervate skin of back of the ear and wall of external auditory

meatus (pain and thermal sense)

② GVA fiber

ㄱ) innervate sensation of pharynx, larynx, esophagus, viscera

ㄴ) fasciculus solitarius ⇨ nucleus of solitarius

③ SVA fiber

ㄱ) innervate sensation of taste bud of tongue

ㄴ) gustatory nucleus (rostral part of nucleus of solitarius)

Cf. Tongue의 taste sense

Gustatory nucleus: afferent fiber from tongue

a. Anterior 2/3 of tongue: chorda tympani of VII cranial nerve로부터

b. Posterior 1/3 of tongue: IX nerve로부터 SVA fiber를 받음.

④ **GVE fiber**

ㄱ) dorsal nucleus of vagus nerve ⇨ parasympathetic ganglion of tho-

혀의 미각신경 분포

1/3
2/3

racic and abdominal viscera

⑤ SVE fiber

nucleus of ambiguous ⇨ pharynx and larynx의 striated muscle

8 부신경 Accessory nerve

1) SVE, GSE

① SVE fiber (cranial root)

ㄱ) innervate intrinsic muscle of larynx

ㄴ) from nucleus of ambiguus

② GSE fiber (spinal root)

ㄱ) innervate ipsilateral SCM muscle and upper part of trapezius muscle

ㄴ) from C5 segment ⇨ foramen magnum ⇨ jugular foramen

9 설하신경 Hypoglossal nerve

: GSE fiber. Innervate skeletal muscle of tongue

Cranial nerve ★		Function	
I	olfactory nerve	olfaction	SVA
II	optic nerve	vision, pupillary light reflex	SSA
III	oculomotor nerve	movement of eyeball, elevation of upper eyelid	GSE
		pupillary constriction and accommodation	GVE
IV	trochlear nerve	movement of eyeball	GSE
V	trigeminal nerve	general sensation of face	GSA
		opening and closing mouth; tension on tympanic membrane	SVE
VI	abducens nerve	movement of eyeball	GSE
VII	facial nerve	taste (ant 2/3 tongue); general sensation of external ear; soft palate sensation	SVA; GSA; GVA
		facial movement; tension on bones of middle ear	SVE
		salivation and lacrimation	GVE
VIII	vestibulocochlear nerve	vestibular sensation (position and movement of head); hearing	SSA
IX	glossopharyngeal nerve	general sensation of part of external ear and external auditory meatus	GSA
		taste (post 1/3 tongue, pharynx); chemoreception, baroreception	SVA; GVA
		swallowing	SVE
		salivation	GVE
X	vagus nerve	general sensation of part of external ear and external auditory meatus	GSA
		taste (epiglottis); visceral sensation; chemoreception, baroreception	SVA; GVA
		speech, swallowing	SVE
		innervation of cardiac muscle. Innervation of smooth muscle and glands of cardiovascular system, respiratory and gastrointestinal tracts	GVE
XI	accessory nerve	movement of head and shoulder	SVE
XII	hypoglossal nerve	movement of tongue	GSE

SVA: special visceral afferent
SSA: special somatic afferent
GSE: general somatic efferent
GVE: general visceral efferent

SVE: special visceral efferent
GSA: general somatic afferent
GVA: general visceral afferent

09

소뇌
Cerebellum

---

1 구조

1) 중앙의 vermis portion과 측부에 한쌍의 hemisphere

2) cerebellar cortex, medullary substance, 4 pairs of intrinsic nuclei

3) 기능적 세 부분

　① **Archicerebellum (flocculonodular lobe)**

　　ㄱ) Maintain **equilibrium**. associated with vestibular system

　　ㄴ) pathway

　　　Vestibular nucleus ⇨ ipsilateral flocculonodular lobe cortex ⇨ fastigial nucleus ⇨ back to vestibular nucleus and reticular formation bilaterally ⇨ bilateral descending tract (**vestibulospinal tract** and **reticulospinal tract**)

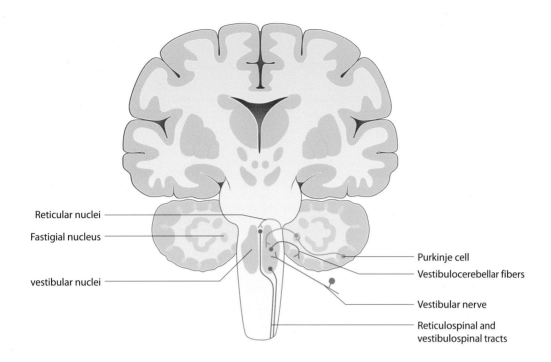

Reticular nuclei

Fastigial nucleus

vestibular nuclei

Purkinje cell

Vestibulocerebellar fibers

Vestibular nerve

Reticulospinal and
vestibulospinal tracts

② **Paleocerebellum (anterior lobe)**

ㄱ) maintain **muscle tone**. From stretch receptor via **spinocerebellar tract**

ㄴ) **unconscious proprioception pathway**

ㄷ) pathway

Muscle, joint, cutaneous receptors ⇨ afferent fibers through ventral and dorsal **spinocerebellar tract** ⇨ through ICP and SCP ⇨ ipsilateral vermis and paravermis ⇨ ipsilateral globose, emboliform, fastigial nucleus of cbll ⇨ through SCP ⇨ contralateral **red nucleus** of midbrain ⇨ through **rubrospinal tract**

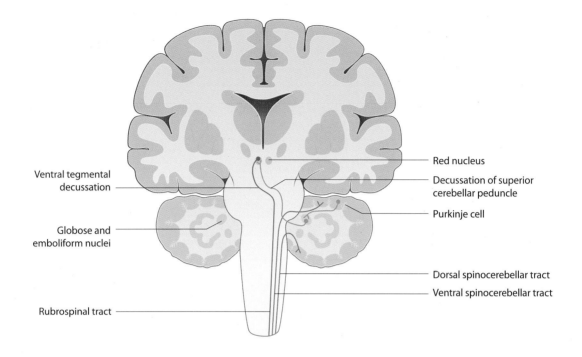

Ventral tegmental decussation

Globose and emboliform nuclei

Rubrospinal tract

Red nucleus

Decussation of superior cerebellar peduncle

Purkinje cell

Dorsal spinocerebellar tract

Ventral spinocerebellar tract

③ **Neocerebellum (posterior lobe)**

ㄱ) **coordination** of **somatic motor function**

ㄴ) pathway

cerebral cortex ⇨ pontine nuclei ⇨ contralateral MCP ⇨ cbll pos-

terior lobe ⇨ **dentate nucleus** ⇨ contralateral **red nucleus** &

ventral lateral nucleus of thalamus (via SCP)

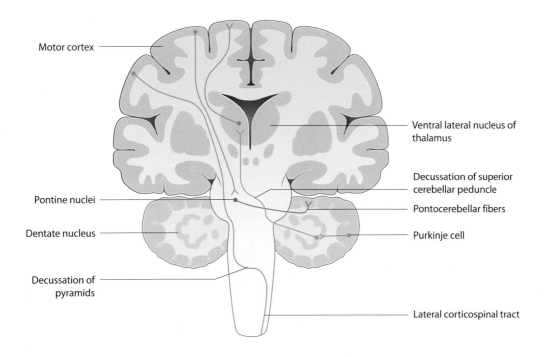

Motor cortex

Ventral lateral nucleus of thalamus

Decussation of superior cerebellar peduncle

Pontocerebellar fibers

Pontine nuclei

Purkinje cell

Dentate nucleus

Decussation of pyramids

Lateral corticospinal tract

4) **4개의** intrinsic nuclei (**Deep cerebellar nuclei**)

① **Fastigial nucleus**

ㄱ) vermal zone

ㄴ) maintain **equilibrium and posture**. via cerebellovestibulospinal

pathway (efferent fiber)

② **Globose nucleus** and **Emboliform nucleus**

ㄱ) paravermal zone

ㄴ) maintain **tone** of ipsilateral **flexor muscle**. via cerebellorubrospi-

nal pathway (efferent fiber)

③ **Dentate nucleus**

ㄱ) lateral zone.

ㄴ) maintain **coordination** of ipsilateral **somatic motor**. via dentato-

rubrospinal pathway (efferent fiber)

중요하니 암기하세요.
Deep cerebellar
nuclei 4가지

Fastigial nucleus,
Globose nucleus,
Emboliforn nucleus,
Dentate nucleus

10

시상하부
Hypothalamus

1 Definition: Pituitary gland의 infundibulum으로부터 mammillary body까지의 부분

2 기능

1) regulation of the release of hormone from the pituitary gland

2) maintenance of body temperature

3) organization of goal seeking behaviors

   – such as feeding, drinking, mating and aggression

4) control of visceral, autonomic and endocrine functions

5) concerned with affective behavior

3 분류(각 region과 nucleus의 기능)

1) **Preoptic** area: **gonadotrophic hormone** 분비 조절

2) **Lateral hypothalamic** area: **feeding center**

3) Medial hypothalamic area는 supraoptic region, tuberal region, mamillary region로 세분화하여 여러 기능을 담당

　① Supraoptic region

　　ㄱ) **paraventricular nucleus와 supraoptic nucleus**

　　　ACTH 분비를 조절. By oxytocin or vasopressin from magnocellular component

　　ㄴ) Anterior hypothalamic nucleus

　　　Parasympathetic activity를 조절

　　ㄷ) **Suprachiasmatic nucleus**

　　　melatonin합성을 조절

　② Tuberal region

　　ㄱ) **Ventromedial nucleus**

　　　Satiety center 역할

　　ㄴ) Arcuate nucleus

　　　anterior pituitary hormone output 조절

　　　by Dopamine, ACTH, beta−endorphin

　③ Mammillary region

　　ㄱ) Mammillary body

　　　a. **emotion pathway (Papez circuit)** or **memory pathway**

　　　　Mammillothalamic tract ⇨ anterior thalamic nucleus ⇨ cingulate gyrus, entorhinal cortex, hippocampal formation or through mammillotegmental tract

VM : satiety center
이상시 ViMan ?
(비만)

Paraventricular and supraoptic nuclei
• regulate water balance
• produce ADH and oxytocin
• destruction causes diabetes insipidus
• paraventricular nucleus projects to
  autonomic nuclei of brain stem and
  spinal cord

Anterior nucleus
• thermal regulation
  (dissipation of heat)
• stimulates parasympathetic NS
• destruction results in hyperthermia

Preoptic area
• contains sexual dimorphic nucleus
• regulates release of gonadotropic
  hormones

Suprachiasmatic nucleus
• receives input from retina
• controls circadian rhythms

Dorsomedial nucleus
• stimulation results in obesity and savage behavior

Posterior nucleus
• thermal regulation (conservation of heat)
• destruction results in inability to thermoregulate
• stimulates the sympathetic NS

Lateral nucleus
• stimulation induces eating
• destruction results in starvation

Mammillary body
• receives input from hippocampal
  formation via fornix
• projects to anterior nucleus of
  thalamus
• contains hemorrhagic lesions in
  Wernicke's encephalopathy

Ventromedial nucleus
• satiety center
• destruction results in obesity
  and savage behavior

Arcuate nucleus
• produces hypothalamic releasing factors
• contains DOPA-ergic neurons that inhibit prolactin release

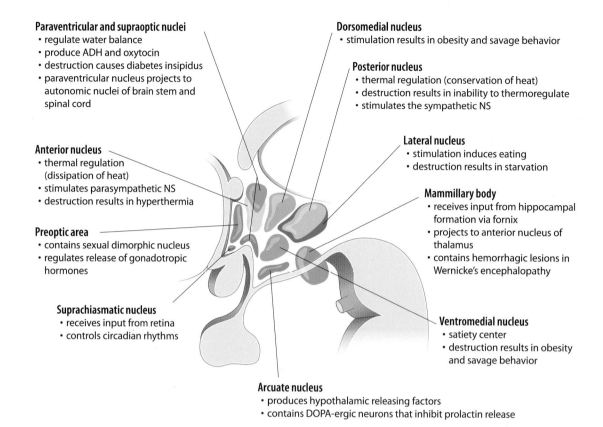

필수 신경해부학 (Essential Neuroanatomy)

기저핵
Basal ganglia

1 Definition: corpus striatum과
amygdaloid nuclear complex 두 부분

2 **Corpus striatum**

1) 구성

   globus pallidus, putamen and caudate nucleus

2) 기능

   : somatic motor function

   esp, initiation of movement. Maintain of ongoing movement and

   muscle tone

3) Neostriatum

 ① putamen and caudate nucleus

  : *cerebral cortex, CM−PF thalamic nuclear complex, substantia nigra, mesencephalic nuclei, lateral amygdala* 로부터 고유한 neurotransmitter를 통해 afferent input을 받음

4) Globus pallidus

 ① medial segment

  : projection fiber to motor cortex, through ipsilateral thalamic nuclei

 ② lateral segment

  : projection fiber to subthalamic nucleus, for reciprocal connection

3   Amygdaloid nuclear complex

: Part of limbic system, a/w hypothalamus

4   Extrapyramidal motor system ★

1) Somatic motor system을 control하는 system

 ① corpus striatum

 ② substantia nigra of brain stem

 ③ subthalamic nucleus

 ④ deep cerebellar nuclei

 ⑤ ventral tier thalamic nuclei

  ⇨ motor cortex 연결

(thalamus의 VL 및 VPL의 neuron도 dentatorubrothalamic pathway를 이루어 muscle의 initiating activity에 관여하여 movement 및 posture control을 담당함)

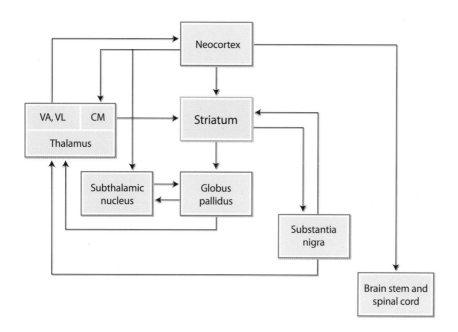

2) Thalamus를 중심으로 하는 두 개의 EPS pathway

　① Striopallidal pathway

　　corpus striatum ⇨ via striopallidal fiber ⇨ VA nucleus of thalamus ⇨ via thalamocortical fiber ⇨ supplemental motor cortex and pre-motor cortex (GABA system) ⇨ via corticostriate fiber ⇨ neostriatum (glutamate system) [circuit]

　② Dentatorubrothalamic tract

　　dentate nucleus of cbll ⇨ contralateral red nucleus of midbrain ⇨ via dentatorubrothalamic tract ⇨ VL and VPL nucleus of thalamus ⇨ via thalamocortical fiber ⇨ motor cortex ⇨ via corticopontine tract and contralateral MCP ⇨ dentate nucleus [circuit]

3) Dyskinesia

　① Lesion of Corpus striatum

　② Abnormal initiation of movement

4) Parkinsonism

① Neuronal **degeneration** at **substantia nigra** ⇨ **decreased dopamine** transmission to striatum

② Decreased dopamine ⇨ activation of acetylcholine ⇨ **increased GABA**

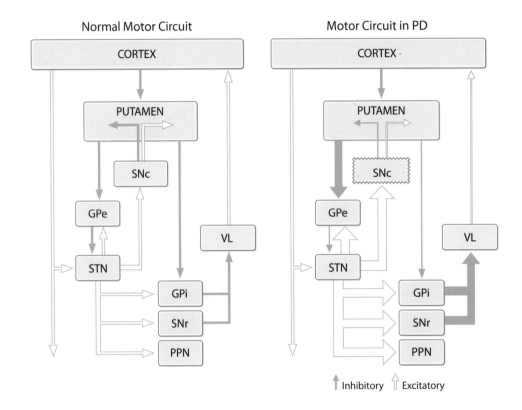

5) Chorea

① Lesion of cerebral cortex and striatum

② Decreased GABAergic neuron in striatum ⇨ increased dopamine action

12

필수 신경해부학 (Essential Neuroanatomy)

변연계
Limbic system

---

1 Limbic lobe

1) Component ★

① hippocampal formation

② dentate gyrus (archicortex)

③ anterior parahippocampal gyrus의 pyriform cortex (paleocortex)

④ cingulate gyrus (mesocortex)

2 Limbic system

: functional system included limbic lobe and related subcortical nucleus

1) related subcortical nucleus

① Amygdaloid complex

② hypothalamus

③ epithalamus

④ thalamic nuclei

⑤ basal ganglia

⑥ midbrain tegmentum

3 Papez circuit ★

1) **Emotive process** (cortical origin)

hippocampal formation ⇨ **fornix** ⇨ **hypothalamus (mammillary body)** ⇨

① mammillotegmental tract ⇨ brain stem 및 spinal cord

" autonomic & somatic response "

② **mammillothalamic tract** ⇨ **anterior thalamic nucleus** and **cingulate gyrus** ⇨ cerebral cortex

cingulate gyrus (receptive cortical region a/w emotion) ⇨ **entorhinal cortex** ⇨ **hippocampal formation** [**Papez circuit**] "memory"

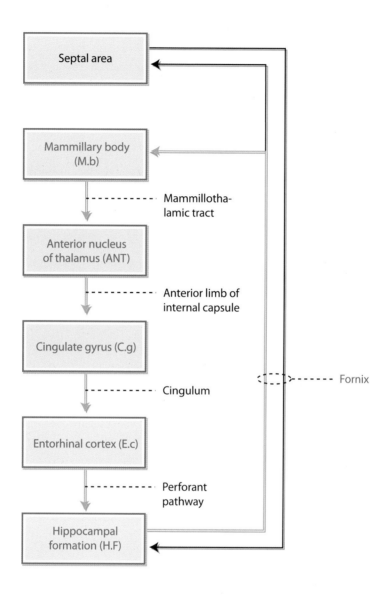

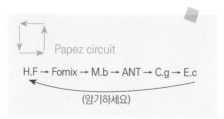

Papez circuit

H.F → Fornix → M.b → ANT → C.g → E.c

(암기하세요)

13

시상
Thalamus

---

1 구성

1) Anterior part

2) Dorsal part

    ① medial nuclear group

    ② lateral nuclear group

        ㄱ) **ventral nuclear mass**

            a. **VP (VPM & VPL)**

            b. **VL**

            c. **VA nucleus**

        ㄴ) lateral(dorsal) nuclear mass − dorsal tier

            a. pulvinar

b. LP nucleus

c. LD nucleus

ㄷ) intralaminar nucleus – located at internal medullary lamina

a. CM–PF nucleus (centromedial–parafasciculus nucleus)

2 기능

1) Chief **sensory integration** of the neuraxis

specific sensory impulse (vision, audition) ⇨ MGB & LGB ⇨ cerebral cortex

proprioception and extroceptive sense ⇨ VPM & VPLc ⇨ cerebral cortex

2) **Maintenance** and **regulation** of the state of **consciousness**, alertness through CM–PF complex nucleus

3) **Emotional** connotations associated with **sensory experience**

through MD nucleus, LD, LP, pulvina nucleus를 통해

4) **Integrative centers** for **motor function**

through VApc, VLo/VLc, VPLo를 통해

3 Internal capsule

내측: thalamus and caudate nucleus

외측: lentiform nucleus (globus pallidus & putamen)가 위치

1) 구성

Anterior limb, genu, posterior limb

① Anterior limb: Anterior thalamic radiation, frontopontine fiber

② Genu: corticobulbar fiber, corticoreticular fiber

③ Posterior limb: superior thalamic radiation, corticospinal fiber, corticopontine fiber, corticotectal fiber, corticorubral fiber

2) Lesion in Internal capsule

   ① lesion of posterior limb (including thalamocortical fiber and cortico-spinal fiber)

     contralateral hemianesthesia of the head, trunk, and limb

     contralateral hemiplegia

   ② lesion in the posterior regions of posterior limb (including optic radiation 및 auditory radiation)

     contralateral hemianopsia and contralateral hemihypoacusis with

     Contralateral hemianesthesia

4 Thalamic syndrome

1) VPL 및 VPM의 손상 ⇨ contralateral hemianesthesia

2) Corticospinal tract의 손상 ⇨ contralateral hemiparesis

3) Spontaneous bizarre pain in the contralateral body & extremities

Cf. VPM nucleus vs. VPL nucleus

VPM nucleus: afferent fiber (**trigeminothalamic tract**). **Craniofacial** sense & taste

VPL nucleus: afferent fiber (**spinothalamic tract**). **Extroceptive** sense & proprioception

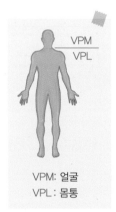

VPM: 얼굴
VPL: 몸통

14

대뇌
Cerebrum

---

1 **Cortical layer formation (cerebrum)**

: 세포가 내층에서 외층으로 이동하여 일차 피질이 형성(**inside-out cell migration**)

Cf. Cortical layer formation (**cerebellum**)

: 세포가 외층에서 내층으로 이동하여 일차 피질이 형성(**outside-in cell migration**)

> 대뇌와 소뇌의 일차 피질 형성시 세포 이동이 다름
> (기억하세요)

2 ▸ Cerebral cortical layer – 6 layers ★

1) **Molecular** layer – outermost layer

2) **External granular** layer

3) **External pyramidal** layer

4) **Internal granular** layer

5) Internal **pyramidal** layer

6) **Multiform** layer – innermost layer

(inside → outside)
developmental
migration

↑ molecular layer (outside)

external

G

P

internal

G

P

multiform에서 시작 (inside)

3 ▸ Cortical area

Brodmann area – 47 cortical field ★ 암기요망

1) **Primary sensory area**

all sensory impulse (except Olfaction) ⇨ ventral tier of thalamus ⇨ through thalamocortical projection ⇨ primary sensory area of cerebral cortex

① **Somesthetic** area (Brodmann area **3,1,2**): **postcentral gyrus** and medial extension of **paracentral lobule**

② **Visual** area (Brodmann area **17**): around **lip** of **calcarine sulcus**

③ **Auditory** area (Brodmann area **41**): dorsal surface of **superior temporal convolution** (**transverse gyrus of Heschl**)

④ **Gustatory** area (Brodmann area **43**): most ventral part of **postcentral gyrus**

ㄱ)
3+1+2 = 6 (육→육감)
ㄴ)
1+7 = 8 (∞ 안경)
ㄷ)
4+1 = 5 (오→오디토리)
ㄹ)
4+3 = 7 (칠→감칠맛)

2) **Primary motor area** (Brodmann area **4**)

① Central sulcus의 anterior wall and precentral gyrus: Body muscle

② Medial wall: toe, ankle, leg and genitalia

③ High convexity: knee, hip and trunk

4 (사→사지운동)

④ Middle part: shoulder, elbow, wrist, finger

⑤ Most lateral part: neck, face, lip, jaw, tongue

Cf. Cortical <u>homunculus</u>: map of brain areas dedicated to motor pro-
cessing for different anatomical divisions of the body

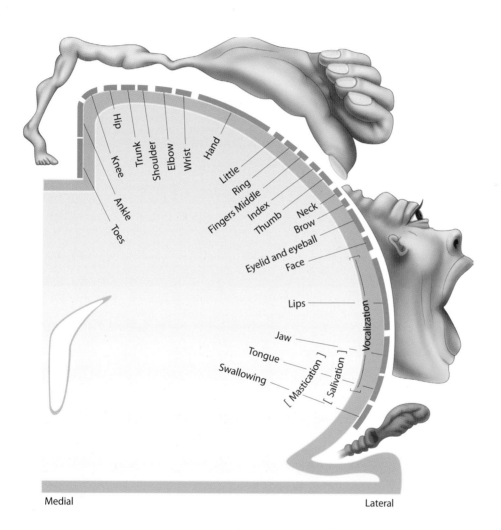

Medial

Lateral

3) **Premotor area** (Brodmann area **6**)

   ① Lateral convexity of Cerebral hemisphere

   ② Cortical eye field

      ㄱ) **Frontal eye field** (Brodmann area **8**)

        : rostral part of premotor area. Involve voluntary eye movement

4) **Prefrontal cortex** (Brodmann area **9-12**)

   ① Rostral part of motor & premotor area (frontal lobe)

   ② Cognitive function에 관여

---

4   Cerebral dominance

1) **Dominant hemisphere**

   : 상대측 hemisphere에 비해서 higher cortical function에 있어 중요성이
있는 hemisphere

   (**주된 언어기능**을 가지는 hemisphere)

2) 오른손잡이: 〉90% Lt hemisphere가 dominant & language related

   왼손잡이 경우: 75% Lt hemisphere가 dominant.

3) Determined by WADA test

4) **Gerstmann syndrome** ★ (증상을 쓰는 것이 자주 나오니 암기하세요!)

   ① Lesion in **angular gyrus** and **supramarginal gyrus** of **Dominant
hemisphere**

   ② **Symptom**: Finger agnosia, agraphia, acalculia, right-left disorientation

> 3A
> ⊕ disorientation
> ⎛ Agnosia
> ⎜ Agraphia
> ⎝ Acalculia
> Gerstmann
> syndrome 증상

5) Disorders of Higher cortical functions

① Alexia

ㄱ) dominant gyrus와 visual cortex간의 pathway 손상

ㄴ) 쓰여진 글자를 인지 및 해석하는 능력에 결손

② Apraxia

ㄱ) skilled complex movement를 실행하지 못함

ㄴ) motor weakness나 sensory loss가 없음

5 Aphasia ★ (시험에 잘 나오는 내용이니 암기하세요!)

Ⓑ: Broca's area
Ⓦ: Wernicke's area

Brain과 Spinal cord 모두 앞쪽(ventral)에 motor component, 뒤쪽(dorsal)에 sen-sory component

1) **Motor aphasia (Broca's aphasia)**

① **Lesion in Inferior frontal gyrus (frontal lobe)**

② good comprehension

③ nonfluent speech

④ poor repetition

2) **Sensory aphasia (Wernicke's aphasia)**

① **Lesion in superior temporal gyrus (posterior temporal lobe)**

② Poor comprehension

③ Fluent speech

④ Poor repetition

3) **Conduction aphasia**

① **Transection of the the arcuate fasciculus**

(interconnection between Broca's area and Wernicke's area)

② Good comprehension

③ Fluent speech

④ Poor repetition

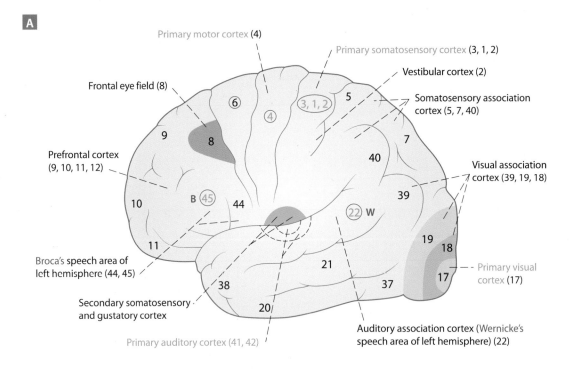

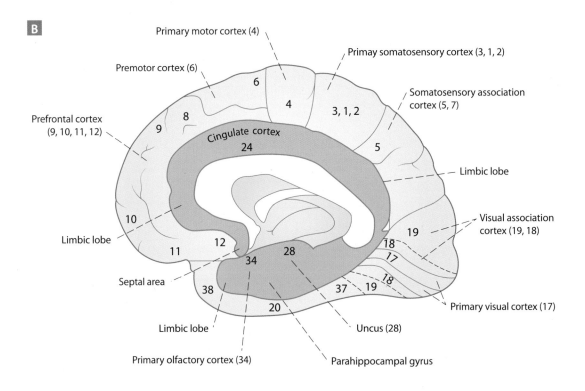

대한민국 의학출판의 자부심,
군자출판사를 소개합니다.

40년 역사에 빛나는 군자출판사

전문적인 출판 시스템을 바탕으로
매년 문화체육관광부와 교육과학기술부에서
선정하는 우수학술도서 '의학' 분야의
최다 수상을 이끌어내고 있습니다.

┃사옥 테마┃

메디테리움은 의학서적을 테마로 한 국내 최대 규모의 BOOK CAFE와,
가족 단위로 즐길 수 있는 박물관부터, 강연이 가능한 세미나실까지 갖추고 있는
여러분들의 **복합 힐링 공간**입니다.

4층   본사 사무실

3층   성의학연구소 /
      이벤트 및 세미나실

2층   의학역사박물관 / 갤러리

1층   카페 메디테리움 /
      병원체험관

지하   주차장

www.koonja.co.kr

 군자출판사

파주출판도시 경기도 파주시 서패동 474-1 종합출판그룹 (주)군자출판사 031-943-1888

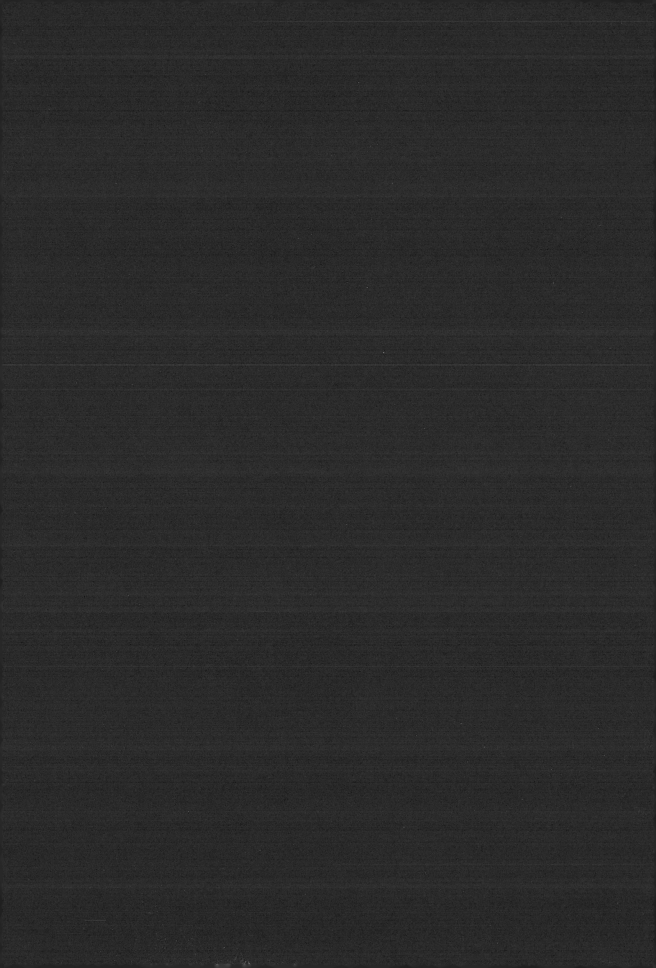